榜样与梦想
青少年励志书系

我最闪亮

用榜样的事迹激励我们，远胜过一切的教育。

段奇清◎编著

献给有明星梦的少年
**演艺明星的追梦
故事与舞台人生**

同样的闪耀，不同的色彩，
每一种青春都能传递力量！

中国经济出版社
CHINA ECONOMIC PUBLISHING HOUSE

北 京

图书在版编目（CIP）数据

我最闪亮：演艺明星的追梦故事与舞台人生/段奇清编著.
北京：中国经济出版社，2016.4
（榜样与梦想青少年励志书系）
ISBN 978 - 7 - 5136 - 3929 - 3

Ⅰ.①我… Ⅱ.①段… Ⅲ.①演员—生平事迹—中国—
现代—青少年读物 Ⅳ.①K825.78 - 49

中国版本图书馆 CIP 数据核字（2015）第 191142 号

策划编辑　崔姜薇
责任编辑　焦晓云
责任审读　贺　静
责任印制　马小宾
封面插图　赵月焱
封面设计　任燕飞装帧设计工作室

出版发行　中国经济出版社
印 刷 者　北京科信印刷有限公司
经 销 者　各地新华书店
开　　本　710mm×1000mm　1/16
印　　张　13.75
字　　数　208 千字
版　　次　2016 年 4 月第 1 版
印　　次　2016 年 4 月第 1 版
定　　价　38.00 元

广告经营许可证　京西工商广字第 8179 号

中国经济出版社 网址 www.economyph.com 社址 北京市西城区百万庄北街 3 号 邮编 100037
本版图书如存在印装质量问题，请与本社发行中心联系调换（联系电话:010 - 68330607）

序

怀念曾经的时空，展望和憧憬未来，似乎是人的一种天性，这样的天性又能给人们多少睿智的收获！

过去的时空也许是沧桑而宏大的，但它毕竟已成过往；未来虽说美好，但它离我们还有一段距离。所以，我们只能像一粒种子，感受当下的阳光，适时地引爆自己。

我们在阳光中发芽、生长，阳光则噼噼啪啪地向我们涌来。汹涌而至的阳光，或者说有着太阳般灿亮人生的，有英雄，有明星。生活有许多种，比如思想的洗汰与沉淀，时间的堆叠与消失。说到底，生活是一种接纳与拒绝，我们不能拒绝英雄和明星对我们的激励和引导。

在烟尘弥漫的人世，或匆忙或不太匆忙前行的人，都会给我们一个苍茫的背影。我们所见的背影，或是佝偻的，或是坚挺的，或是孱弱的，或是伟岸的。无疑，英雄和明星的背影是坚挺伟岸的。

我们在追随着明星坚挺伟岸的背影时，同时也在寻找一种声音，因为那声音对我们是一种召唤。而在此之前，我们就朝着理想的居所在行走，只因那是我们心灵的家园。

我们明晓明星们微笑的内容与眼神里的热望，他们一直就眷念着美丽，向心灵的家园不断进发。我们同样眷恋人间美好，眷恋就得追求，得阔步行进。追求就能赢得自己。地球追逐太阳，赢得光和热，世界也就鸟语花香五谷丰登；河流追逐大海，九曲而不悔，河流也就高亢激越浩浩荡荡；鸟儿追逐蓝天，羽毛丰满，因而能以天空做舞台清越曼妙地舞动世界……

被追求的永远在前面，有坎坷需要我们跨越，还要忍受苦痛。由此，我们必须在心中点上一盏灯，即梦想的灯。

因为有梦想的灯照着我们前行，也就要做好现在该做的事情，当我们做好每一件简单的小事，且把每一件小事都做得与众不同时，梦想就向我们走近了一大步。

追求梦想，虽然困难重重，但我们不畏惧，因为我们年轻。人世中，虽说我们只是沧海一粟，但我们不因渺小而妄自菲薄，不因知识还不丰富而自矮三分。虎啸深山，鱼翔浅底，驼走大漠，烟舞长空，万物都有属于自己的一方领地，因而我们也要闯出自己的一片天地。

在横流的物欲面前，在浮华喧嚣声中，我们愿以青春的昂扬，以年少的锐气，将自己书写成一部气势恢宏浩繁磅礴的大书，并在追逐的过程中，让人生这部书高潮迭起，缤纷多彩。我们向往璀璨瑰丽的彩虹，也不惮惊心动魄的雷电。我们的人生之书中，每一个章节都有看不尽的似锦繁花，有数不清的闪耀繁星，充满幻梦与憧憬，满载期待和向往。在每一位英雄和明星的激励和引领下，或许是惊喜与惊悸并存，或许是得意与失意同在，又或许是快乐与悲伤交替，但无论会遭遇到什么，我们都会让这部书有虎头、熊腰，以及一个高昂雄奇的豹尾。

英雄和明星们有一个共同的闪亮之处，这就是目标高远、奋发图强，向世界汲取了尽可能多的能量。他们也有各自的懿姿与风范，有的如井水一般深邃和沉静，有的像溪流一样秀婉和平稳，有的像河水一样瑰丽和畅达，有的像海水一样浩瀚和包容……

我从小就对英雄豪杰、名家名流、名人明星有着崇拜情结。崇拜是因为感动，在感动之余也就写下了书中的这些文字。如能通过这些文字感动有着同样情结的你，并对一路前行的你有所启迪和帮助，也算这些文字在时代的河流中荡漾起了朵朵闪光的浪花！

勇敢地迈动我们的脚步，向着远方前行吧。只因我们能与英雄和明星同行，我们一定能达到如他们那般苍翠而美丽的远方……

段奇清

2015 年 12 月

目 录
CONTENTS

黄晓明　洋溢着真诚快乐的"黄木头"

韩庚　《寒更》，曙光初启于极夜一瞬间

陈 坤

—— 帮助他人就是帮助自己 ——

　　每个人年轻的时候都觉得生命可以肆意地挥洒，认为青春和热情是用不完的。随着年龄的增长，我觉得这种认识存在误区，必须承认和面对这个事实——我只是一个普通的个体，永远不会像太阳和月亮那样明亮，也许只有烟花火那样短暂的璀璨。即使如此，也要在它灿烂的那一刻尽兴燃烧。

姚远 / 摄

1976 年 2 月 4 日，陈坤出生于重庆市。

1995 年，考入东方歌舞团（现中国国家歌舞团），任独唱演员。

1996 年，离开东方歌舞团，以三试第一的成绩考入北京电影学院。

1999 年，出演建国 50 周年献礼影片《国歌》。该片取得了年度票房第四名的票房佳绩，为陈坤的发展奠定了艺事业的基础。

2014 年 7 月 29 日，发起的公益项目"行走的力量"，正式开启 2014 年"心·迹 敦煌"行走。

2012 年，主演张建亚指导的传记电影《钱学森》，再次获得上海影评人奖最佳男主角奖。4 月 5 日，被联合国儿童基金会正式聘为中国大使，也成为首位正式加入联合国儿童基金会的内地演员，协助联合国儿童基金会（简称 UNICEF）在中国倡导保护儿童权利。同年 4 月 26 日，陈坤蜡像在上海杜莎夫人蜡像馆揭幕，他也成为继葛优之后第二位入驻杜莎夫人蜡像馆的内地男影星。两次登上了国际顶级杂志意大利《L'UOMO VOGUE》（意大利版 VOGUE 男士）的内页，并登上了意大利 VOGUE 和男版 VOGUE 官网首页。

2011 年，与香港著名导演徐克合作，出演首部运用 Imax 3D 技术拍摄的武侠电影《龙门飞甲》，获得香港电影评论学会最佳男主角提名。发起"行走的力量"大众电影百花奖等多项最佳男主角奖、亚洲电影大奖。多次活动，呼吁人们走出去、带回正面的力量，获得广泛关注。公益捐款资助"关爱老兵""大爱清尘""支教营"等公益活动。

2010 年，在《建党伟业》中客串青年周恩来，获得第 30 届大众电影百花奖最佳男主角奖；成为中国青少年发展基金会爱心大使；收到联合国儿童基金会驻中国办事处的正式任命，担任联合国儿童基金会"全球洗手日"活动宣传员；获 2009 年度雪碧中国原创音乐流行榜内地最佳男歌手奖。

2009 年 12 月，推出第三张个人专辑《谜 ME》。

2002年，主演法国导演戴思杰的电影《巴尔扎克和小裁缝》。该片获第61届金球奖最佳外语片提名，入围第55届戛纳电影节"一种注视"单元，受邀出席戛纳电影节。

2000年，从北京电影学院表演系毕业，获文学学士学位，优秀毕业生奖。毕业前主演电视剧《像雾像雨又像风》，跻身内地首批四大小生（当时与李亚鹏、陆毅、胡兵并称内地四大小生）。

2003年，主演电视剧《金粉世家》，一跃成为国民偶像。该剧夺得中央电视台年度收视冠军。

2004年，获得中国青少年发展基金会"爱心大使"称号，并成为国务院扶贫领导小组、中华人民共和国卫生部首位"博爱大使"；发行第一张个人专辑《渗透》，其中《月半弯》广为传唱。

2005年，主演台湾导演严浩的作品《鸳鸯蝴蝶》（台湾题为《抹茶之恋味》），饰男主角阿秦。以该片获得台湾金马奖最佳男主角提名。成为"博爱国际之星"。

2006年，在陈逸飞导演的电影《理发师》中饰男主角陆平，获得上海影评人奖最佳男主角奖；发行第二张个人专辑《再一次实现》，获得MTV、华语榜中榜、音乐之声中国TOP排行榜等多项音乐奖项的内地年度最受欢迎男歌手奖。

2007年，主演尹力导演的电影《云水谣》，饰男主角陈秋水，以富有跨度的表演获中国电影华表奖影帝。该片创造了当时国产爱情题材电影的最好票房成绩。

2008年，在陈嘉上导演的电影《画皮》中饰男主角王生，成为大陆青年男星在大制作商业片中挑大梁的先驱。签约台湾银鱼音乐。

CHENKUN

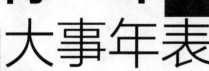

陈 坤
大事年表

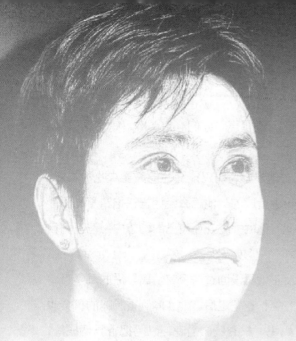

寻找生命的核心

学唱歌，走出十三平方米的家

人生总是在接受一场场考试，贫穷困苦是许多人儿时要面对的一道题。这道题往往是最难考的，倘若被它考住了，在今后的日子里，它就总会跳出来干扰你；年轻时要是拼力解开了它，那它就成了你一辈子都要感激的加分题。很显然，这道题没有难住陈坤。

1976年2月4日，陈坤出生于重庆市的江北区，他的父母同在重庆市郊北滨路一家工厂上班。父亲陈大林是卡车司机；母亲后来调入厂里，干过车工、钳工、工厂的伙食团团长。从懂事起，陈坤常和姐姐、弟弟倚在门口，等着爸爸妈妈下班。然后，一家人围着饭桌吃饭，其乐融融，这是陈坤最快乐的日子。

可是，陈坤七岁那年，父母开始经常吵架，主要原因是妈妈说陈坤的爸爸和厂里的一个"阿姨"好，妈妈和阿姨谁都难受，两个女人就打了一架。虽说是个误会，但阿姨的丈夫却不依不饶，不久就和那位阿姨离了婚。后来，陈坤的爸爸妈妈隔阂越来越大，只好协议离婚。爸爸将房子留给了妈妈，自己净身出户。因为共同的磨难，性格也比较相投，后来父亲与那位阿姨重组了家庭。

那天，爸爸拎着简单的行李，站起坐下，坐下又站起……他看着三个儿女，实在是舍不得离开，于是伸出手来想抱抱他们。可是，年仅七岁的陈坤和姐姐都惊叫着躲开了，只有弟弟没有躲，被父亲抱了抱，但也睁着惶恐不安的眼睛看着爸爸。见儿女们这样，父亲凄苦地笑笑，说了声"你们一定要听妈妈的话"，就一步一回头地走了。

在陈坤幼小的心灵里，只有妈妈对他最好，妈妈能给他他最喜欢吃的香肠，而妈妈和他们姐弟三人不幸福是爸爸一手造成的。他怎么会让爸爸抱？不光不让他抱，陈坤还恨透了爸爸，总想报复他。他的报复就在自己的幻想中：爸爸骑自行车摔一跤，龇牙咧嘴地喊痛。爸爸痛苦，他就痛快。

父亲是否摔过跤陈坤并不知道，反正他再没回过这个家。离异后的母亲带着姐弟仨，艰难地维持生活。家中可真穷啊！爸爸走后，他连闻到香肠味的机会也不多了。一天，外婆来看他们，给了妈妈一根香肠。当晚，妈妈把香肠切成片，端上桌时，细心的陈坤数了数，每人正好两片。姐姐很懂事，不看那香肠，只吃青菜、萝卜等。妈妈给陈坤和他弟弟陈渝碗里各夹了两片，心疼地说："你们瘦得像两只猴子，多吃点肉！"

陈渝十分舍不得却还是忍不住将两片香肠吃完了，陈坤碗中的香肠却没有动。妈妈又给他俩各夹了一片。陈坤清楚，这香肠是妈妈和姐姐的，于是，小小的他便开始"演戏"了，他夹起一块香肠，咬了一小口后，皱起了眉头，把自己碗里的另两片香肠放进盘子里，说："难吃死了，我不吃！妈妈，这香肠太难吃了。"

陈坤以为这样做，妈妈和姐姐就能解解馋了。谁知妈妈一听，竟然发起脾气来："这么好吃的东西，你说难吃，你想吃啥？"说完，放下碗伤心地到自己房间去了。没想到，自己的懂事换来的却是妈妈的生气，陈坤觉得很委屈，眼泪"啪嗒、啪嗒"落进碗里。姐姐说："我知道你疼妈妈才这样说，可这话很伤妈妈的心呀！你别哭了，我去劝劝妈妈！"

在门外，陈坤听到妈妈对姐姐说："孩子，我不是想发脾气，我不希望你们三姐弟营养不良啊！"一会儿，屋里传出了妈妈和姐姐的哭声，让人听了心里格外酸楚……

穷困，人生中那张最难考的考卷在陈坤少不更事时，严酷地摆在了他的面前。

一个妇道人家带着三个孩子实在太难了。不久后，母亲只让姐姐跟在身边，把陈坤和陈渝兄弟俩寄养在娘家。

那个年代，父母离婚还不被社会接受，人们都认为离婚是一件很丢人的事。陈坤常常觉得有人在背后指指点点，性格内向的他越发忧郁起来。随着一天天长大，陈坤遭受同学的白眼也越来越多，他越想越恨父亲，对父亲也就更加疏远。

但是，母亲并不希望父母之间的恩怨影响孩子们的成长，她经常对陈坤说："你爸爸很疼你的，他自己虽说很艰难，却没有断过你们的抚养费……"陈坤低头听着，并不说话。他固执地认为，家庭的困境、母亲的眼泪，都是坏爸爸造成的。

不能让孩子没有父爱，不能让孩子总和自己分离着，陈坤十一岁时，母亲重组家庭，把陈坤和陈渝从外公外婆家接到了身边。后来，妈妈又生下一个弟弟。全家人就挤在一个只有十三平方米的屋子里。房子实在太小太小，陈坤和陈渝兄弟俩只能睡在过道里，过道挺窄的，只好安放了一张上下铺的床。过道旁边紧靠着一个窗户，窗户外面就是走道。窗户在夏天还能给他们送来一些风，也能让他们看看外面的天空，给兄弟俩一些遐想的空间；有时，小伙伴们也会拍着窗户喊兄弟俩出去玩，他们也就少了许多寂寞。但到了冬天，早上时邻居们就会生煤炭炉子，浓烈的煤烟会让他们呛得直咳嗽……

冬天还有一件难受的事，就是晚上起来上厕所。那是一个公厕，走三分钟才能到，披上衣服，走在路上，冷风会吹得人不停地打寒战。为了少起夜、少受冻，唯一的办法就是晚饭后忍着不喝水。

困厄的考卷并没能难住陈坤，他要交出令自己满意的答卷。

初中毕业后，为了在经济上自立、减轻家里的负担，陈坤升入高中后便开始半工半读。他先是在一家印刷所做打字员，后来找到一个在夜总会当服务员的工作，白天去田坎职业中学学习计算机，晚上便到酒吧做服务员。服务员是一份十分辛苦的差事，工作时间长，收入却很少，因此陈坤非常羡慕那些在台上唱歌的人，因为他们往往唱不了一两个小时就可以离开，收入却是做服务员的他的好几倍甚至十多倍，更重要的是自己如果去唱歌，还不会影响到学校上课。

陈坤想，上小学和初中时，他的音乐考试成绩也得过"优"，便想试试。一天，他终于鼓起勇气对老板说："可不可以在大家都唱完之后，让我也上台唱一首？"老板让他试着唱了几句，觉得还靠谱，于是答应让他试试。陈坤上台后，终究因为在唱歌上没经过系统学习，观众并不买账。尝试虽然失败了，但老板说，只要去学习一段时间，他是能唱的，他的形象那么好，不愁观众不接受。他相信老板的话，可想学唱歌却没有钱。

有一个被陈坤称作"哥哥"的歌手对他印象不错，很想帮他一把。一天，那位哥哥对他说："我带你去见一个人。"陈坤很高兴地去了，他们见到的是重庆歌剧院的王梅言老师。

王老师五十多岁，多年的音乐生涯让她具有一种端庄儒雅、雍容华贵的气质。陈坤一见到她，不觉感到有些紧张。不过，为了能学唱歌，他鼓起勇气说："王老师好！我想拜您为师学唱歌，您的学费贵不贵？"王梅言老师知道又遇到了一个欲奋发改变自己处境的年轻人，见他彬彬有礼，便对他有了些好感，说："你形象不错，已经具备了做歌手的第一个条件。声带怎么样？"陈坤唱了一首歌。"哎哟，你完全没学过呀，你这个声音条件太有问题了！"陈坤的心顿时凉了半截。见他一脸的沮丧，王梅言老师说，"不要灰心，音色本质还行，经过训练是可以成为一名优秀歌手的。"

见王老师说他能行，刚才的不快一扫而光。从此，每天放学后陈坤就到王老师家上课。他的进步很快，一段时日后，终于成了夜总会的一名驻唱歌手。

1995年5月初，陈坤从职业高中毕业，王老师觉得他在酒吧当歌手实在有些可惜，他应该有更好的前途。在王梅言老师的鼓励下，陈坤进京参加东方歌舞团的考试，结果很顺利地考上了。在东方歌舞团，住单位宿舍，吃住已不愁，且从重庆到了北京，可以说完成了人生中的一次跨越。听着京味儿十足的普通话语，看着那广阔的天空，他感到很满足。

陈坤是一个对陌生风景充满好奇心的人，没有钱搭车，他就独自一人在北京的胡同里乱窜，不同的新奇的景致催动着他的脚步不断向

> **陈坤语录**
>
> ❝ 我觉得一个人的成功要靠智慧。智慧和知识是两回事。知识可以去泵秋去学习，但把知识升华成自己的东西，就要靠智慧，而不是小聪明。我希望通过以后的努力，让我的智慧能够早点"开窍"。 ❞

前。他就从东三环来到了颐和园。"春湖落日水拖蓝，天影楼台上下涵，十里青山行画里，双飞百鸟似江南。"古韵中不乏现代气息的景色令他的眼界不断开阔，也让他对未来有了无限憧憬。

一天晚上，陈坤一个人在长安街上走着，看到高楼大厦里溢出的万家灯火，一个强烈的愿望不禁涌上心头：有一天，这些亮着温暖灯光的窗户，有一扇一定属于我！从此，这一缕理想的灯光永远亮在了他的心间。

在东方歌舞团，他是独唱演员，这就更要有实力，尽管他从王梅言老师那儿学到了不少东西，唱歌时他也很努力，但似乎与观众的要求还有一定距离，演出机会也并不多。不过，他一边演唱，一边不忘抓紧一切机会向别人学习，期望有一天能唱红。他想，只要有明确的目标，肯发奋努力，机会总会撞上自己的腰。

无心插柳，却考上北京电影学院

陈坤到北京工作的第二年，他再一次像在酒吧一样，遇到了一个"哥哥"，这位"哥哥"让他的人生又进入了一片新天地。那天，那位哥哥——跳舞的同事对他说："北京电影学院正在招生，你可以去试一试。"陈坤对唱歌的这份工作很珍惜，也很满足，便说："你要是想去考，我可以陪着你去。"同事哥哥说："你不想报名吗？你的形象这么好，我把这个消息说给你听，是因为你比我们更有可能考上。""我现在对当演员一点兴趣也没有。"其实，陈坤是想到了钱，"要交几十元的报名费太不划算了。"同事哥哥说，"这个好办，我借给你报名费，等你考上了再还我。"见人家这么真诚，一心要他去考，陈坤不好再推辞了，也就一同报了名。

结果，同事哥哥落选了，陈坤却考上了。

考上后，是否离开东方歌舞团，他当时着实纠结了一番：念电影学院钱从哪里来？但有一个念头也总在他脑子里转动着：上了电影学院，就一定能在北京再待上四年了。凭着他当时的歌唱水平，在歌舞团一切都是未知的。陈坤太想待在北京了，他狠了狠心，决定去读北京电影学院。

9

陈坤　帮助他人就是帮助自己

报名需要8000块钱，这似乎成了横亘在陈坤面前的一座山。"深固难徙，更壹志兮"，发愁是来不了钱的，只有努力想办法。陈坤决定去挣，他找朋友介绍，去夜总会唱歌。时间就只有短短的两个月，陈坤几乎把所有的开支降到最低，一些开支干脆取消。他不租房子，蹭住朋友的地下室。但临报到时，他只攒了3000多块钱。这时，又是朋友向他伸出了热情的手——一个朋友无意中听说了这件事，主动找到他，借给他3000块钱。他又跟其他朋友借了些，总算凑齐了8000块钱，终于踏进了北京电影学院这座神圣的殿堂。

大学四年，陈坤一共拍了两部戏。大二时，他被导演吴子牛相中，在《国歌》中饰演男主角。还有一部是赵宝刚的《像雾像雨又像风》。

大三以后，陈坤又接拍了一些广告，手中开始有了一点积蓄。喜欢独处、爱安静也特别爱干净的陈坤便在北京租了一间房子。房子在麦子店附近，十八楼，一居室，1250元一个月。每天晚上他回去得都很晚，那时电梯已经停了，他只能走着上去。房子并不算好，但他依然很快乐，因为他可以在那里打坐、发呆、看碟，他还可以蹲着擦地板，他只能房子的每一个角落哪怕是床底下也是干净的，要好好珍惜这来之不易的生活。

🎬 去欧洲，打碎一个不现实的梦

在大学，陈坤虽说拍了两部戏，也拍了一些广告，但比起班上的有些同学，比如赵薇等，相差还是太远了。因而他依然以为：自己并不是太适合当演员的。歌手他不想再回去做了，埋藏在心中多年的儿时的愿望又开始在脑中盘旋：做一名室内设计师。陈坤从小爱好画画，似乎对设计有一种天生的敏感。而设计师的工作不需要四处奔波，每天朝九晚五，收入也算稳定。其实，他内心深处是想给儿时的自己一些补偿。小时候，他们住的房子既逼窄，又乱糟糟的，他要给自己设计一间宽敞漂亮的房子。

于是，一种强烈的意愿冲击着他的心扉：去国外读设计学院，改行当设计师。那些学美术的朋友也非常支持他，给他推荐了很多欧洲的设计学院。他选择了一所北欧的学校，把自己的作品寄过去。学校很快回了信，让他再寄一些作品过去，这让陈坤信心大增。不久，对方又通知他去面试，刚好拍摄完《像雾像雨又像风》，他拿到9万元的片酬，这可是一笔大收入，他也就不用为旅费发愁了。拿到这些钱后，陈坤给妈妈寄去4万元，因为家里还有1万多块钱的欠债，另外2万多元是想让家里人改善一下生活；还剩下5万元，去欧洲应该没多大问题了。

然而，他的梦很快就破碎了。现实根本就不是他所想象的那样，北欧的学校生活费挺贵，且不允许学生打工。在思考了两天之后，陈坤终于接受现实，赶回北京，原本打算在欧洲多玩几天的想法也放弃了。但他做设计师的梦并未熄灭，他想，先拍几部戏再说，等攒够了钱再去欧洲读书。

做自己，正能量是生命的核心

回到北京，大家也都只是认为陈坤去欧洲旅行了一趟，日子照常过。陈坤又陆续拍摄了《粉红女郎》《金粉世家》等几部戏。"飞絮迷芳意，落梅销暗香"，不想当演员的他，没想到机会却撞了他的腰，名利也迷了他的眼。

2003年，陈坤在大兴拍摄《名扬花鼓》。正值"非典"时期，拍摄组里面总会有人因为身体不适被叫去做体检，一部戏一拍就是三四个月，整天人心惶惶的。那时他妈妈刚到北京，反正自己也不能四处逛，也乐得在家多陪陪老妈。每天往家中赶比较辛苦，加之要陪妈妈静下心来说说话，一连几个月他没顾上看电视。

一天，他和妈妈说着话，就接到很多电话，都是向他道贺的："你的'七少爷'火了！"就这样，一部《金粉世家》让陈坤走入很多人的视线，人们都叫他

"七少爷"，可以前知道他的人都叫他"陈子坤""修表匠"什么的。这时，他还算清醒："七少爷"能红，是"非典"帮了他的忙，因为大家都不能出门，就只好待在家中看电视了。不管原因如何，反正他火了。

人在两种情况下会遇到魔鬼：一种是失意时，一种是得意时。有的人对失意也许能做到百毒不侵，但对突然而至的得意却会扛不住，有赞美声包围着你，有光环笼罩着你，有虚荣心迷惑着你，就难免开始有些晕眩、有些飘飘然。所以，有很多人能在逆境中奋起，却会泯灭于光环下。陈坤就经历过这样的考验。

2003年到2006年，陈坤的生活发生了翻天覆地的变化。十几岁时，他的计划是租个好房子，然后去一步步地挣钱，按揭一套好点儿的房子，再打拼几年，将房款还清；也要去旅行，吃自己最爱吃的香肠，还要去吃涮羊肉……没想到，这些并没有按部就班地到来，却是"笑里藏刀"地向他扑了过来，他似乎有些招架不住了。

无法招架就会生出一些很奇怪的想法。一天，陈坤开车行驶在路上，看到繁华的街景、如梳的车流、熙熙攘攘的人流，一股恐惧感蓦然袭上心头："我觉得现在的一切都不属于自己，它们随时可以失去！"

那天回到家中，他做的第一件事就是把所有银行卡都交给母亲，把卡的密码也告诉她。他是怕自己有一天会突然死掉，他担心自己的生命会突然结束，拥有的一切瞬间化为乌有。他开始失眠、厌世、悲观，觉得人生没有意义了，不久后他得了抑郁症。有几次，他靠近窗户，差点儿跳下去。朋友们都非常不理解：你现在条件这么好了，为什么还会这么想？该玩玩，该吃吃，多好的事儿呀！

其实，远没有朋友们说的那么简单。陈坤从得到名利后的喜悦、到膨胀、到厌恶，再到惶恐，最后跌到情绪的低谷，这期间，身边的人没少给他帮助，对他进行开导和劝说，但收效都不大。

2007年，陈坤开始寻找摆脱抑郁的方法。母亲的分析让他明白，这一切都是因为金钱和财富这块巨大的石头掉进了他的心湖，让他心中波涛翻滚。只有让这波涛平静下来，他才能逃过这一劫。

在妈妈的帮助下，陈坤彻悟：这并不可怕，只要让自己的心湖不再波涛翻滚，这块巨石就可以变成自己生命中的核，因为财富和资源可以帮助更多的人，而帮助他人，说到底就是帮助自己。由此，他找到了内心的一个核，一种正面的力量。这个核让他不再恐惧，有了更远大的目标和计划，而且心中充满了新的力量。

抛却恨，将负能量转化为正能量

过去的陈坤，心中一直有负能量，最为突出的就是他比较"记恨"。

陈坤语录

66 生活里，人人都会有很多的不如意，每个人排解压力的方式都不同，只要是适合自己的，也不必太在乎别人的看法，不然就太累了。 99

在成长过程中，除了恨爸爸，陈坤还清楚地记得一个冷漠的眼神。那是在陈坤刚成名不久，有一次参加一个国际电影节，他在后台遇见一个当时很红很有地位的女演员。从小谦恭懂礼貌的陈坤上去跟她握手，说："你好，我是陈坤，很高兴认识你。"没想到，那个女演员似乎懒得理他，而且以一种很特别的眼神瞟了他一眼，冷冷地"哼"了一声，便缓缓转过身去，陈坤一下愣住了。在他看来，那一声"哼"，要多冷有多冷。陈坤表面上装着不在意，而且还笑了笑，没说话就离开了。大家看到的依然是一个淡定平静的陈坤，其实他心里已经波涛翻涌了，憎恨与愤怒充斥了他的胸膛，他在心里狠狠发誓：等着瞧吧！

几年之后，当陈坤凭着认真演戏在业内获得更多的肯定，成为一名具有一定专业素养的演员之后，有一天他突然发现，自己已经理解了那个女演员。因为她那种轻蔑的眼神，其实是对那种凭人气蹿红却并无实力的演员的轻视和不认可。陈坤回想那时，自己的确没什么演技，但人气突然很旺，别人"七少爷""七少爷"地喊着，就有些云里雾里了。也许在那个女演员心里，自己就是一个靠脸蛋成名的空架子，一个所谓的偶像。从那时起，陈坤深知，一个演员如果想在业内

13

陈坤 帮助他人就是帮助自己

得到足够的尊重，一定要靠人品、靠实力，而不是以偶像获得的人气。

此后，他有时还会在公开场合与那个女演员见面，记恨的情绪已经完全没有了，甚至他在内心深处非常感激这位女演员曾经对自己那轻蔑的一瞥。虽然当年她并非有意帮他，但那个无心插柳的冷漠眼神，激励着他一直往前走。

其实他还挺认同那位女演员的做法，假如一个没实力但人气很旺的明星在自己面前"得瑟"，他也会很不给对方面子的；如果对方也因为受挫而发愤图强，把别人的冷漠变为成长的动力，那他也就会明白一个冷漠眼神的全部含义。

拥有好的心态，能够客观而正确地评价自己，才会让一个人的心中始终充满正能量。有一天，陈坤在拉萨旅社的房间里休息。一个陌生人推门而入："陈坤住这里吗？"助手拦住来人："干吗呢？"那人说："陈坤不是住这儿吗？我来瞧瞧陈坤。""对不起，这是私人房间，你不能随便进。""有什么不能进的？陈坤不是明星吗？明星有什么不能看的！"那人一副"有理走遍天下"的样子。

陈坤的助手有点着急："你怎么能乱闯呢？"陈坤则在一旁调侃："进吧进吧，没事，这儿是动物园，随便看。"那人一听这话，才不管那么多，一只脚就踏进了门。助手急了，把那人往外推，然后将门关上。那人气鼓鼓地走了，口中还骂骂咧咧的。

陈坤成名以后，这样的事遇到很多，他一直都在"享受"着公众的"特殊待遇"。参加活动时，有人会有意无意地推他一把；吃饭时，有人会拉他拍照；在公众场合，谈重要的事时被人打断……别人无休无止的猎奇与追问，开始时他的确感到有些难以适应，后来转念一想：人生就是这样，得到一个东西就会失去一个东西，不能只享受"明星"给你带来的好处，却不接受其他，天底下大约没有这样的理。再说，所谓的坏处也未必不能让你有意想不到的收获。想明白了，他就像从前一样，一如既往地以一颗感恩的心来对待一切。

恩师与朋友的真诚相助

一根人参珍藏十多年

感恩是由于困难总在缠着他，而朋友总能适时地伸出温暖的手。在北京电影学院读书时，陈坤早上六点多要出晨功，对他来说，每天起床都是一种煎熬。大学时代，陈坤生活压力很重，不仅要挣自己的学费、生活费，还要尽可能给家里寄钱，因为家里太困难了。因此，每天晚上陈坤都要去夜总会唱歌，回来很晚，睡得很迟。早上能赖上一会儿床，他都会觉得是莫大的幸福。出晨功不能迟到，迟到几次就折合成一次旷课，旷课几次就要记大过或开除。陈坤特别珍惜大学的学习机会，睡懒觉或旷课是连想都不敢想的事，因此极为缺觉，加上他又总想着节省，吃得很差，导致营养不良，整个人也瘦瘦的，看起来像个"病秧子"。

因为没有钱，又缺觉，陈坤总显得有些不合群。同学们一起去郊游，他就窝在宿舍补觉。电影学院留学生宿舍，有个朝鲜族阿姨做的牛肉拌饭，陈坤非常喜欢吃，但要8块钱一碗，他吃不起，便有同学请他吃。他也总说要回请人家，可从来都没请过，他心里一直觉得挺不好意思的。直到大三时，他拍了一个广告，原本说好片酬是1500元，后来人家说他拍得不太好，只愿给1000元。他想，别说1000块，三五百也心满意足了。拍完以后，那位副导演还开车把他送到电影学院，这让他感激得不行，因为这样又能省下20块钱的打的费。

有了钱，再不能食言了。第二天早上起来，他叫上一些同学，一起去吃了牛肉拌饭。这下他终于不用再为不能回请而纠结了。

在电影学院里，他一度以为自己是个很糟糕很内向的家伙，不爱说话，跟有的同学可能四年都没说过五句话，还包括"嗯""啊"这种。在陈坤的印象里，同学们应该对他这个孤僻的怪小子避而远之，但事实并不是这样的。

陈坤不愿被人打扰，所以选择睡上铺。他还特意做了一个拉帘，以拉出一方小天地。他不光睡觉的时候拉上帘子，白天也经常把帘子拉上。同学们很好奇，白天拉上帘子，神神秘秘地干什么呢。原来他在里面点香、打坐。同学们知道他干什么后就说他是神经病，开他的玩笑，有时他打坐的时候他们还会把帘子撩起来看他一下，然后"哦"地起哄。其实陈坤心里明白，他们是在用这种方式拉近跟他的距离，而不是用看似尊重的冷漠来孤立他。以积极的心态看问题，看所有人都会是善良的，至少这样对自己是有帮助的。

陈坤在北京电影学院里有一个很珍贵的朋友，叫许云帆。许云帆见陈坤晚上总去夜总会唱歌，老是熬夜，早上又很早就起来，总显得没精神，便想帮帮他。有一次，许云帆从东北老家回到学校，很不经意地走到陈坤身边，扔给他一个袋子，看起来极其自然，就像扔垃圾似的。陈坤打开一看，竟然是一支人参，而且是东北的，这可是珍贵的东西。

陈坤说："我平时都没怎么跟许云帆说过话，在学校也不怎么来往的，他却给了我一支人参。他对我的关心，他的有心，我一辈子都会记得的。现在那支人参还在我家里，已经十多年了。"

说起同学们对他的好，陈坤总是娓娓道来，如数家珍。当时，他们的班长叫国庆，是个北京小伙儿，在他们班年纪最小，后来留校当老师了。有一天下午，班上下课早，离去夜总会上班还有一小段时间，陈坤觉得这是和同学们打成一片的好机会，就跟同学们一起去了健身房。

健身房有跑步机、推肩练习椅等，他看到那些杠铃便去举。别的同学轻而易举就举了起来，可他却举得特别费力，"吭哧吭哧"的，试了好几下才举上去。国庆一见，对他说："坤

> **陈坤语录**
>
> 66 能够做自己喜欢的事情，能够把梦想变成现实，这一定是种幸福。 99

儿，你要吃鸡蛋，吃鸡蛋最好了！就吃两个黄，吃十多个蛋白，这样补充蛋白质，你就长力气了！"他何曾不想吃，可哪里来的钱。那时候，国庆原本也不吃鸡蛋，为了长力气也开始吃起来，每天煮十多个鸡蛋，见到陈坤就会给他几个。后来陈坤跟国庆说起这件事，国庆说他忘了，但是陈坤却记得特别清楚。

妈妈曾对他说，有时候，你不经意间对别人的好，可能你自己都忘了，但是别人会记一辈子。这个观念一直深深地影响着陈坤。善待别人，随时伸出热情的手帮助别人，在你自己可能是举手之劳，但对别人，却可能是雪中送炭，特别珍贵。

陈坤不是一个特别会表达的人，但是在他成长的道路上，同学对他的那种关爱、那种情义、那些特别有心的东西，他都一直记在心里。

陈坤以一颗感恩的心记得别人对自己的好，当自己有了条件、内心又有了正能量之后，就会时时刻刻去帮助别人。在帮助别人的时候，他的注意力不会只放在"我做了好事"上面，而是会想起当年别人对自己的好，心中也就感到特别温暖，而这温暖会让他的心田长出幸福快乐的芽来。

恩师最懂我：响鼓也要重锤敲

他感恩每一位同学、每一位老师，而让他最不能忘怀的有两位恩师。

一位是教他唱歌的重庆歌剧院的王梅言老师。高中时，陈坤每天放了学就会去老师家里上课，有时候王老师会留他吃饭，给他做特别好吃的炖牛肉。每次吃完饭，老师都会问："坤儿，好吃吧？我做的菜是最好吃的，每个人都爱吃！"乍听之下，会让人觉得老师好骄傲啊！后来他才明白，老师不是骄傲，她是真的认为自己做的最好吃。这让陈坤懂得了一个道理：自信不是简单的渴望别人认可你，而是一种从内心深处迸发出来的自我认可。陈坤觉得王老师就像他的另一位母亲，给了他温暖，让他有了信心，还教会他很

17

陈坤

帮助他人就是帮助自己

多做人的道理，以及生活的基本技能。

在王老师的教导与呵护下，陈坤很快成了一名歌手，可以很从容地在舞台上唱歌。他表演的态度、做人的态度，都跟王老师所说的一个境界有直接关系。王老师说："唱歌一定要学方法，要把方法学得非常非常好，然后烂熟于心，到最后扔掉方法，那时候唱歌就是真正的唱歌了。"陈坤说，这个就是后来他从禅宗里学到的，从"看山是山，看水是水"到"看山不是山，看水不是水"，再到"看山又是山，看水又是水"。他很幸运，十几岁的时候因为王老师的点拨就懂得了这些。

还有一位恩师是北京电影学院的崔新琴老师。陈坤考电影学院的时候，因为考虑到自己出不起学费，开始时他根本就不想考上。考试时，没有任何表演技能的他一副吊儿郎当的样子。是崔老师慧眼识珠，认为他就是一块演电影的料，克服阻力硬是把他招进了电影学院。

但在大学里，他一直以为崔老师不喜欢他。原因就是，崔老师经常表扬别的同学，班上没被表扬过的就只有他一个人。本来就认为自己不是一块演员的料的陈坤因此更加不自信了。大学三年级时，有一天他对崔老师说："老师，我不想当演员了，想改行。"老师说："哼，少跟我来这一套！其实你心里很明白你适不适合当演员，不要因为我没表扬你，你就用这种方法引起我的注意！"老师虽然是批评他，但他听懂了老师话中的意思，这句话给了他极大的信心。

后来，学校排毕业大戏《北京人》，崔老师让他演男主角文清。从此他开始明白，老师对他要求严格，是为了激发他的潜力。崔老师一直是特别了解他的，她曾和陈坤一同参加《鲁豫有约》。她说："他其实内心是很狂野的，很骄傲的，但是表面上给人感觉是一个很忧郁的很蔫的那种，就想等着老师表扬，老师就是不表扬，所以他到三年级，就实在忍不住了……你就想让老师表扬你，老师就是不表扬你。"

老师这种"响鼓需要重锤敲"的方法，刚好敲在了他的心坎上。

陈坤从两位恩师身上学到了技能与本领，也有了更多信心，他在心里也非常感谢他们。

🎬 是朋友，要"明里较劲"

朋友不光能给你温暖，还会"明里较劲"。

友谊真好。知道有人在爱惜自己，在别人的生活中、脑海里有着自己的位置，这样的感觉往往是奋斗的力量源泉。

很多时候，朋友也是竞争对手，跟你在明里较劲。这就是"有心"，也会刺激你，让你拥有无穷的力量。

从念大学开始，陈坤和赵薇就是好朋友。有人说，他们成为朋友是"一起讨论"来的，不，很多时候不是"讨论"，而是在吵架，可以说他们的友谊之树，是在吵架中成长起来的。

由于谁也不用顾及对方的态度，讨论着讨论着，双方的声调就高起来，火药味也越来越浓，于是就开始激烈地争吵。他们在讨论或争吵时，并不会顾及周围人的态度。比如在拍摄《花木兰》时，只要有空，两人就会凑在一起讨论。在别人看来很"无聊"的东西，他们却都能滔滔不绝地说下去，说着说着就又变成了唇枪舌剑。怕沾上"火星子"，周围的人唯恐避之不及。又比如在拍摄《画皮》时，那天，他们又凑在一起谈表演的问题，谈着谈着，就如拨云见日般，心中的疑惑被扫去，两人又眉飞色舞起来。随着讨论的不断深入，又有新的疑云布满心头。"三时大笑开电光，倏烁晦冥起风雨"，接下来，便又观点不合，一个说："这个不对，你懂个啥！"另一个也针锋相对："你说得一点儿也不对，你懂个啥！"一个拍起了桌子。谁甘示弱？另一个也拍桌子。

大家没见过这样的阵势，全都吓跑了。黄岳泰被吓走了，孙俪也被吓走了，

好多人都被吓走了。就剩他们两个人，电闪雷鸣，龙争虎斗。

时候不早了，导演高声说："请各位回家！"他们上了各自的休息车，还没坐稳，就开始互发信息："啊，没事吧？""没事！"霎时风停雨歇、云开日出。

第二天，黄岳泰和孙俪还以为他们已割袍断义、划地绝交了，结果看到他们俩没事人一般。黄岳泰说："哎呀，我头晕！"孙俪说："啊，我也是！""你们头晕是你们自个儿的事，可我们从来都是船头吵架船尾和好。"赵薇、陈坤心里头正这样说。

拍摄《画皮II》的时候，陈坤、周迅、赵薇三位好友再聚首。因为《画皮》的成功，几乎所有人都对他们的组合充满期待。这个没问题！拍摄还没开始，他们就都向对方下了"战书"："大家都要努力，我们是好朋友，好朋友就要互相扛上哦，都要超过对方哦！"

就这样，每个人都憋着一股劲儿。周迅拍摄这部戏以前，和梁朝伟、刘青云拍了一部《大魔术师》，她不断地超越自己，这次的拍摄，表现也堪称出神入化。

赵薇则不一样，这两年，她经历了结婚生女，经历了女人应该有的生活，这些经历让她有了更为开阔的人生视野和追求。而这些又会投射到表演上，因而赵薇的表演更是令人刮目相看。在拍摄过程中，她总在找东西、找感觉，不断地探索。很辛苦的武打戏，不要替身，破皮、流血、鼻青脸肿也一定要自己做。

一个个都要比对方演得好，又给了对方正面的动力。对赵薇的表现，陈坤说："哇！这两年你跑到哪儿修行去了？精进不少，我可要迎头赶上啊！"对周迅，陈坤和赵薇则说："她已经提高成这样了，我们加油吧！"周迅也说："坤儿，你真的演得很好！"

这不由得让人想起了镜子。陈坤说，好朋友就像一面镜子，能照见自己的不足。虽说有可能让你不舒服，但这种照见，能让你回首自己走的路，让你每一个足迹都比上一个更稳定、更深邃。

好朋友是一面镜子，会明着较劲，这是说朋友并非就一味地对你好，必须跟你谈得来，而是通过朋友，你可以好好擦拭自己、不断提高，这样，朋友之间就能以最抖擞、最光鲜的精神面貌一起交流、共同进步。

明着较劲是向上的阶梯，是朋友之间不在乎他给予了你，还是你给予了他。重要的是，你和朋友能享受到精神上的共鸣，能获得随时随地想起他们时的舒心和快乐。如此，你会珍惜他们，从而珍惜自己，让你充满信心与力量，与朋友一道前进、一并提高。

亲情是阳光，照亮心空

父子之情永远不会逝去

"闻其悲声，则莫不怆然累欷，攀涕拉泪"，人生经历大喜，难免也会遭遇大悲。1996年5月，陈坤的姐姐在婚前几天，过马路时遭遇车祸。此前，他的姐姐在一家街道小厂做小工，收入很低，为了给在北京读书的陈坤交学费，她非常节俭。

噩耗传到北京，陈坤无比悲恸，借钱买了机票从北京飞回重庆。赶到医院时，他看到姐姐已经奄奄一息，而父亲正抱着姐姐，哭得老泪纵横。陈坤控制不住自己，一下子扑过去，声嘶力竭地号哭起来。可陈坤依然不能原谅父亲，在他看来，如果当初父亲不抛弃他们母子，姐姐就不会这么辛苦、这么节约，哪儿会遭遇如此横祸！

奄奄一息的姐姐似乎看穿了陈坤的内心，吃力地拉起他的手，断断续续地说："大弟，我要死了。死前，我要求你一件事，我们这么多年都恨爸爸，以为他不爱我们。其实，爸爸很爱我们……你和二弟不能恨他！大人的事，我们不懂……答应姐姐，不然我死不瞑目……"陈坤痛不欲生，几欲哭昏，听了姐姐的话后伤心欲绝地说："姐，你别死，我答应你……"

姐姐靠在父亲的臂弯里永远地离开了人间。

没有姐姐资助，陈坤在北京电影学院的学习和生活更加辛苦了。他到歌厅去拼命唱歌，每天只睡三四个小时，很多次累得晕倒。无数次，他想起姐姐，要是姐姐在，就会有姐夫，就会资助自己上大学，自己怎么会这么累？他恨爸爸，但他答应过姐姐，要原谅爸爸。对姐姐承诺了，就一定要做到。

后来，他在北京买了一套房子，将妈妈和弟弟接了过来。看着妈妈和弟弟幸福而满足的样子，陈坤却总会在不经意间想起父亲。父亲还在重庆，出人头地后的扬眉吐气和想让父亲为自己骄傲的冲动在陈坤内心交织着。他想主动与父亲联系，可是，他不知该如何开口……

儿子的出息，让父亲陈大林为之自豪。只要听说陈坤到重庆参加活动，他就会抽出时间，远远地看陈坤一眼。有时，舍不得花钱买门票，他就在酒店守候，躲在角落里打量陈坤。看到儿子被人如众星捧月般簇拥着，他会高兴得悄悄抹泪。

2002 年冬天，陈大林得知陈坤回到了重庆，一直在暗中跟踪，但"粉丝"太多，他看一眼儿子也很不容易。机会终于来了，快到吃午饭的时间，"粉丝"终于少了一些，陈大林再也控制不住自己的情感了，从角落里走出来，激动地喊："坤儿……"陈坤不禁一愣，眼圈红了。他很想答应父亲，可这么多年的怨恨，让他一时还转不过弯来。他努力让自己平静下来，装作没听见，径直走了。

儿子没有原谅自己，老人伤心不已。当晚，他找到一个老朋友，借酒浇愁，酩酊大醉，继而号啕大哭。

一晃，就到了 2003 年 1 月。一天，陈坤在一份报纸上得知，父亲当年离开家后，每月工资只有 60 多元，却要给妈妈 25 元，用于抚养陈坤姐弟。陈坤还知道：当时父亲的日子并不比他们母子好过，没有房子，住在一间像牛棚一样的房子里；一年之后，父亲改做销售，有出差补贴，收入多了一点，又主动每月给他们母子 50 元……

看到这些，陈坤的眼泪禁不住夺眶而出。

后来的一天，陈坤接受央视《艺术人生》栏目采访。提及父亲时，他对朱军说："我爸爸也是一个蛮可怜的人……他应该是为我骄傲的，

陈坤语录

66 有很多东西是可以不用那么张扬的，而可以内敛地、静静地生在一个角落，等待那些可以品味你的人去跟你交流。内心的世界会更自由和放松，相对于外部的行为没有那么多毛躁的东西了。99

我没给他丢脸。可惜，我跟他交流不多，不经常见面。"正好，陈大林看了这期节目，看着看着，泪流满面。那天晚上，他喝了很多酒，开心地大醉一场。

接受采访后，陈坤专门交代弟弟陈渝给父亲打电话，让他回重庆时看看爸爸。不久，陈渝回到重庆去找父亲，几经周折，才在观音桥附近一幢潮湿低暗的住宅里找到了白发苍苍的陈大林。怕孩子们难过，陈大林一再解释，他之所以住在这样潮湿的环境里，是因为自己爱种兰花。但陈渝依然心酸不已。回到北京，陈渝哽咽着把见到父亲的情形告诉了陈坤，陈坤半天说不出话来。后来，哥俩合计着，给父亲在重庆江北区北城天街买了一套新房，并精心装修了一番。

2004年12月的一天，陈大林在观音桥附近的家里正弯着腰、于烟雾弥漫中吃力地吹着火，他要让蜂窝煤炉的火烧得旺一些。一个哽咽的声音突然响起："老爸，这里太艰苦了，我们已经给您买了一套新房子，已经装修了，您搬过去住吧！"父亲回头一看，见是陈坤，忍不住"呜呜"哭起来。

儿子的一片真情，陈大林不便推辞，便与老伴搬到了北城天街的新居。他曾经做过司机，陈坤就花了十多万元买了一辆车送给父亲。这辆车载着儿子对父亲的孝心，也载着父亲对儿子的骄傲，奔跑在永远不会逝去的亲情的大道上……

母爱的阳光让心空明媚

有几个朋友问他："我们得抑郁症的时候什么都干不了，你怎么还能拍那么多好戏呢？"陈坤抑郁症最严重的时候，也是他事业最顺的时候。那段时间，他与周迅合作了电影《恋爱中的宝贝》和《鸳鸯蝴蝶》，还拍摄了《好想好想谈恋爱》《风雨西关》《情证今生》等叫好又卖座的影视剧。陈坤回答朋友说："这一切都因为我妈妈啊！"

2002年春节前夕，陈坤结束了一部电影的拍摄，就急匆匆地从北京赶往重庆老家。和以前许多次回家不一样，除了作为儿子要看望妈妈外，他还有了一个新的身份——爸爸，他要去看看不曾见过的儿子优优。

陈坤回到家时，母亲已抱着孙子在巷子口等了半个多小时。见到陈坤的那一刻，一向寡言少语的母亲乐呵呵地，话也显得格外多："快来看看，跟你出生时一模一样！不必你操心，孩子我来带，你就放心奔事业好了！"

母亲的笑脸与欢语，如同暖风暖阳般，让陈坤心里踏实多了。当母亲抱着小肉坨坨儿子在陈坤面前晃来晃去时，有好几分钟，他不知道该怎么做，不知道是否应该从母亲手中把儿子接过来，给小家伙一个甜蜜的吻。

不过几分钟的时间，血浓于水的父爱就像海涛般漫上来了，他乐呵呵地，也是急不可待地，让母亲，还有外婆，带着儿子去重庆饭店开了一间房子，他要给儿子舒舒服服地洗一个热水澡，要让儿子感受一下父爱的温暖与纯洁。

在饭店浴室的洗手池前，陈坤把池子洗了一遍又一遍，他知道儿子太小，对初来乍到的这个世界是很难适应的，容不得半点不洁之物侵蚀儿子的身子。池子洗净后，放进水，他用手试着水温，反复调节着……

水汽氤氲着，陈坤突然明白，儿子就是上帝交给他的一份责任，不能让他冷着或热着……他要好好将孩子抚养成人，就像母亲对自己一样。给儿子洗完澡，陈坤把那双比自己拇指大不了多少的小脚放在嘴里，儿子似乎要感谢爸爸的爱，使劲地蹬着，那小脚在陈坤嘴里动着。陈坤幸福地笑着，小心翼翼地，不能让牙齿碰疼了儿子的小脚丫。

儿子一双明亮的小眼睛亲昵地看着他，陈坤明白，这就是亲情。亲情是自己从亲人那儿得到的一份满足，他不希望对亲人有一丝一毫的伤害。

"昨来楼上迎春处，今日登楼又送归"，充满快乐与幸福的日子过得实在太快，一眨眼，春节就过完了。陈坤又要赶回北京拍戏去了，他本来是要让母亲带着优优一起去北京的，可母亲的一句话让他只好作罢。母亲说："你要好好拍戏多挣钱，等孩子大了，你也知道怎么跟喜欢你的影迷交代了，到那时我再带着优优去北京。"母亲的话让他不觉一惊："可不是吗？虽说爱儿子怎么也爱不够，但我还真的没有做好当爸爸的准备。"

原来，优优出世后，因与陈坤性格不合，优优的妈妈和陈坤友好地分手了。陈坤到了北京，总对儿子牵肠挂肚，真是"无一顿茶饭不牵萦，无一刻光阴不怀念"。陈坤对母亲也无比挂念，觉得妈妈抚养了他们这一代，又要接着带孙子，太辛苦了，应该在大城市过上更为现代的生活。陈坤暗暗下决心，一定要挣钱买上大房子，让母亲快点带着优优来自己的身边。

陈坤是那样努力，只一年时间，他从一个没有多少名气的新人一下子为人们所熟知。在这一年里，他相继拍摄了《双响炮》《金粉世家》《别了，温哥华》。

在拍摄《金粉世家》时，拍摄周期非常短，常常连轴转，压力非常大，而且陈坤的演技还比较生涩，可他就是不断挑战自己，拿出那股子拼劲，不，是拼劲加巧劲。陈坤并不喜欢原著中金燕西这个角色，但他能重新赋予金燕西一个灵魂，在演出中刻意一个细节、一个细节地改变。他的表演也许算不上很到位，但让观众看到了一个充满生活气息、细腻生动的金燕西。

不断超越自己，让陈坤的演技一天天提高，挣的钱也越来越多，他不想再等了。终于，陈坤在北京买了一套近三百平方米的豪宅，不过，付了房款却没有钱装修。

母亲原本打算和孙子一直住在重庆的，但不久前去北京一家人暂聚时，却发现儿子情绪有些不对劲。母亲回到重庆后简单收拾了一下，就带着优优匆匆赶往北京。

一进空荡荡的"豪宅"，母亲就笑着说："不要以为在你置办房子的事上妈妈一点忙也帮不上。"说着，她递给儿子一个存折："这是我这些年积攒下的一些钱，你可以把房子简单装修一下。"

"力卷云来无干旱"，这就是亲情，这就是母爱。母亲时刻都在关注着孩子，一旦发现孩子的心田被旱魔侵扰，就会拼尽全身之力，为孩子扯来一片云彩，洒下一场及时雨。

每天，母亲都春风化雨般地照料着孙子优优，同时也润物无声地呵护着儿子陈坤。那段时间，陈坤的情绪很不正常，有时虽然说身子已回到家，一颗心却仍然在片场，陷入影视剧的角色中不能自拔。由于影视角色与生活中的真实自我反差太大，生活中的陈坤常会以影视角色作为参照，这样就总会患得患失的。母亲要把他从这种状态中拉出来，可问他什么话，他都是"哼哼哈哈"的应付两句就完了。母亲想和他多说几句话，心中烦躁的他还会凶妈妈几句。

母亲就是儿子的一轮太阳，她要用灿烂的阳光将儿子心空中密布的阴霾驱散。那天，她和陈坤一起去看心理医生，在被确诊后，医生要他住院治疗。母亲却淡淡一笑："不就是心里有个结打不开吗，我们不住院，在家我多陪他说说话就行了！"

陈坤知道，母亲这么说是有原因的：一是还有许多戏等着自己去拍，没有时间住院；二是万一让媒体知道了，不定会闹出什么事呢。更重要的是，母亲相信自己和优优就是儿子的一剂良药。

除非是必要的应酬和宣传，只要在北京，母亲就让陈坤在家陪优优，陪着优优玩游戏、看动画片。动画片让父子俩有讨论不完的话题，看完动画片，陈坤会问儿子："你喜欢哪些人？他们后来怎么样了呀？"儿子的话匣子一下子就被打开了，"咿咿呀呀"说个不停。儿子还和爸爸"做游戏"，"爸爸，我们闭上眼睛。"优优说着，就先把眼睛闭上了，"爸爸，我们现在开始飞呀。"爸爸问，"飞到哪里了？"优优答道，"飞过了窗户。"爸爸又问，"上面有什么？""有好多人。"儿子说。"我们再飞呢？""去了公园。""公园有什么？""有好多大象。"……陈坤觉得，这才是人生中最大的乐趣。

优优如此这般乖，不哭不闹的，特别会"粘人"。他们北京的家是一幢复式楼，陈坤的妈妈和优优住楼下，陈坤住楼上。有一天，陈坤拍戏拍得很晚才回家，第二天早上他补了一会儿觉。起床后正睡眼惺忪地往下面走，要去剧组，却看见儿子在楼梯上坐着玩儿。陈坤问："优优，你怎么坐在这儿，早上不和奶奶一起多睡会儿！"母亲于是告诉陈坤实情。

原来，优优一醒来就要上楼找爸爸，知道爸爸还在睡觉后，就一直在那儿走来走去。实在忍不住了，就往上走了一级楼梯，这时奶奶小声说，"你爸爸在睡觉，不要上去吵醒他！"优优在上面站了一会儿，就又走下来。过了一会儿，优优似乎等不及了，他要找一个理由见爸爸，于是又拿了一杯水，打算送上去。奶奶又说，"不要，等你爸爸醒了再拿。"优优就一直在那儿等着。

奶奶说完这些，优优很乖巧地说："我听奶奶的话。"又对爸爸说，"爸爸，要抱！"原来儿子想见爸爸，他太想让爸爸抱了！因为那些日子"闹非典"，奶奶特别担心，不让优优出去玩，优优就像一只听话的小狗似的，俯首帖耳地在家里走来走去。他有时也趴在窗户那儿朝外看，不见爸爸回来，就去拍皮球，或躲在沙发后面玩玩具……

母亲每天除了照看优优、洗衣做饭外，一有时间就会看一些心理学方面的书，还四处收集各种各样的笑话。每当陈坤回到家，她就会笑着给儿子一个拥抱。这让陈坤觉得，母亲的拥抱比他拍戏时与任何人的拥抱都亲切得多、有力量得多。

吃饭时，一向不主张在饭桌上说话的母亲，开始一个笑话接着一个笑话地讲给儿子听。这让陈坤觉得又回到了童年，回到了儿时虽嘈杂却充满烟火味道的大杂院中。

就这样，在家里，陈坤离影视角色越来越远，与亲情、真我越来越近。

就是这母爱的阳光，以及优优对爱的需要，三年时间，没住过一天院，也没有吃过任何抗抑郁药，陈坤竟奇迹般地摆脱了抑郁症的干扰，走出阴霾，走到人生晴朗明丽的天空之下。而且在这三年里，他还拍摄了许多为人们所欢迎的戏。不过他说，三年里，自己演的戏再多，也顶不上一部戏的万分之一，这部戏就是亲情——母亲对他的爱！

"我的儿子很幸福，就像当初的我一样，他被我的母亲用心地疼爱和保护着。所以，我们家最值得歌颂和尊敬的人，不是我这个所谓的明星，而是养育了我们两代人的我的母亲。"陈坤说。

母爱、亲情是没有忧愁的，有的只是坚强，只是笑着面对已经来临的一切的好心态。其实，表面上看来不好的事情，或者生活中那些确实不好的东西，只要你用自己的方式去梳理好心态，你就能笑着面对，天地也就会无限明媚和宽广。

🎬 他是一座"倾斜"的高高矗立的塔

亲情和爱伴着优优成长。2006年，陈坤带着儿子去欧洲旅游。他们来到高高耸立的比萨塔前，四岁多的儿子非常兴奋，手指着他的鼻子说："爸爸，这座塔像你。"陈坤不知道儿子为何会冒出这样一种"奇怪"的说法，笑吟吟地说："这塔可是倾斜的哦！""你也是斜的呀！"儿子说。

自己在儿子的眼中怎么会是斜的呢？陈坤心中嘀咕道。儿子接着说，"你和我说话，你在亲我时，不是弯着腰吗！"儿子的话让他既难过又欣慰。难过的是，儿子自打生下来就没有享受过母爱；欣慰的是，自己对他倾注的爱已让他铭记在心。

优优一岁时，人们看到陈坤在北京出入各种场合时，经常会带着一个小男孩。有人禁不住问：这小孩是谁？陈坤从来都会不含糊地回答："是我儿子！"可人们并不相信。

越是有些名气的演员，越会死死地保护好自己的隐私，因为它关系到自己的星路和前途。难道陈坤就一点儿也不怕？其实，怕又有什么用，陈坤所做的这一切，只是对孩子负责，他不想让失去了母爱的儿子再缺少父爱。当然，更为陈坤担心的是他的家人。

从女友将孩子留给母亲转身离去的那一刻起，陈坤就打定主意，要将儿子带到北京亲自抚养。母亲知道他的想法后很吃惊，说："怎么能这样做，你是明星！"陈坤当然知道，在演艺圈成名很难，毁誉却极容易，稍不留意就会前功尽弃。然而，父母越是对自己呵护，就越让他明白血脉相连、骨肉情深，也就更坚定了亲自抚养优优的想法。他们的父子关系不能掖着藏着。

优优很快就到了上幼儿园的年龄，母亲心中有顾虑，就要自己带优优去报名。陈坤说，上幼儿园是优优人生中一件重大的事情，必须由他的爸爸带他去。

听说爸爸要带自己去报名，优优特别高兴。当他们来到幼儿园时，园里的老师一眼就认出了陈坤，说："小朋友真可爱，是你亲戚的孩子吗？怎么还没见你的亲戚来？"陈坤认真地说："他不是亲戚的孩子，是我儿子。"老师很吃惊，但仍然不相信这是真的。陈坤平静而恳切地说："是我儿子，没错！他叫优优，以后我儿子如果犯了什么错误，或者有什么事情需要和家长沟通，请您打我的手机，我会全力配合您的工作的。"

陈坤就是要让儿子享有和其他孩子一样正常的生活，节假日或拍戏的间歇，他总会尽量抽空带着儿子去一些游乐场所。儿子"爸爸""爸爸"地叫个不停，他满脸幸福地答应着，他与儿子总是能玩个"乐翻天"。

陈坤还把儿子带到太阳村去看孤儿。那些孩子没有玩具，看到优优手中有一个机器人玩具，都眼巴巴地看着他。优优把机器人给了孩子们，他们一个个竟然像见了一个大稀罕物似的。这让优优觉得特别难受，自己有那么多的玩具，这些孩子却一件也没有，他躲到一个角落里哭了。回到家，优优把所有的玩具放在一起，对爸爸说："你再去太阳村，把它们全送给那些小朋友们。"

陈坤有空就带着儿子出去玩或参加一些活动，有人认出了陈坤，要他签名，他除了签上自己的名字外，如果方便的话，也会让儿子在一旁稚稚嫩嫩地写上"优优"两个字。母亲是他的阳光，他也要做儿子的阳光。

2007年6月，陈坤是"未婚爸爸，有一个五岁的活泼调皮可爱的儿子"的事终于被媒体"发现"。他自己倒没什么，但他最担心的是儿子会受到外界的干扰，影响学习和成长。他小心翼翼地呵护着儿子，要给儿子一个相对安静的学习和成长环境。

儿子一天天长大，越来越懂事了，慢慢地也能读书看报了。2010年3月的一天，优优从学校拿回一张报纸，上面写着他和爸爸的事。他问爸爸：什么是未婚孩子？陈坤觉得是该给孩子一个交代的时候了。

2010年3月24日，他在台湾做客《沈春华 Life Show》栏目时，首度在媒体上向世人公布，八岁的优优是他的亲生儿子。他说自己在这件事上从来就没有遮遮掩掩过，希望以后媒体不要再在这件事情上做文章，也没别的什么，只是想给孩子最好的环境、最好的教育。陈坤坦诚而充满责任的话，赢得了观众的阵阵掌声。

但有记者为了满足大众的好奇心，仍然对优优进行偷拍。开始时，每次把儿子抱出门，看见有人，优优都会让爸爸给他帽子，并表现出不安。陈坤告诉儿子："爸爸的职业是演员，就好像你小时候在电视上看到爸爸被打，就在那儿哭着打电视机一样，其实爸爸被打不是真的。你要知道爸爸在从事一个职业，在扮演一些角色，很认真地在扮演。因为大家喜欢爸爸，很多人想了解爸爸的生活，由此也就想了解他的儿子。所以他们会对你好奇，但你不要难过。"

陈坤说的这些，儿子并非全懂，但优优懂得"大家喜欢爸爸"这句话，虽然出门也仍然要了帽子戴着，但他对别人的偷拍已经不再紧张不安了。

优优也会问："妈妈是谁？她怎么不来看我？"这时，陈坤会微笑着告诉他："有一天，你会知道的。"这样的话，儿子常常会问起，陈坤也常常这样回答。优优并不认为爸爸是在骗他，爸爸不告诉自己一定有他的原因。

优优之所以多次问，是因为爸爸太爱他了，妈妈虽然没和他们在一起，但他觉得妈妈也一定像爸爸一样爱着自己。越是这样想，也就越希望见到妈妈。妈妈不来见他，也一定和爸爸一样，有她的原因。这样想着，儿子的心情也就开朗了许多。

人生中总会有很多的偶然，或许你的生活没有别人那么正常，但当你的日子出现不如意、人生之塔有所"倾斜"时，应该学会正视这种倾斜，不断提升自己，将这种"倾斜"化作一种更深沉的情感。此时的倾斜，便会是一种巍巍的屹立。或者说，那倾斜便会成为一段过往，它能让你强大起来，敢于担当。

舍不得花的"应急钱"

陈坤的大弟弟陈渝，小时候有一段时间跟着爸爸和继母生活。那时，爸爸开了个修理厂，接的业务就是给那些东风车换轮胎之类的。厂子在路边，非常破旧，连门都没有。厂里有间很破的像传达室一样的房子，弟弟晚上就在那儿过。

穷人的孩子早当家。陈渝才十岁，晚上怕父亲的工具之类的东西丢了，夜里会常常起来查看。

陈渝住的破屋子里有一部公用电话，爸爸让陈渝看着，要是有人打电话，就会给陈渝一点钱。有一年春节，陈渝从修理厂走了三站地来到妈妈家，他不舍得坐公共汽车，一路步行来的。一进家门，陈渝就掏出一些零零碎碎的

每个人心中都有一个英雄的概念，英雄并非都得是出尘或者万中取一的，英雄的行为有时候可以很微妙，不是非得伟岸到人人去崇拜他和谈论他。其实英雄可以是非常儒雅的，但他的内心力量一定非常强大。

陈坤　帮助他人就是帮助自己

钱，说："妈妈，这些钱给姐姐哥哥还有小弟买肉吃。"小时候家里很少吃得起肉，只有在过年的时候，家里才会有一顿肉吃。陈渝在那么苦的情况下还记得给哥哥买肉吃，只要一说起这件事，陈坤的眼泪就会"吧嗒吧嗒"直往下掉。

　　这份亲情让陈坤终生难忘。由于小时候在贫寒中长大，在陈坤的心里，最基础的物质温暖比什么都来得真切实在。陈渝十九岁便走入社会开始工作，但挣的钱太少，从没有过积蓄。陈坤就偷偷塞给他 5000 块钱，这在当时是很大一笔钱。陈坤跟弟弟说："你要存一部分，万一妈妈的生活费用完了，这个钱可以应急。另外，你现在交了一些朋友，不要太寒酸，给自己买点衣服。"陈渝不要，但是陈坤一定要给。因为在陈坤的心里，家人比他更需要钱。

　　很多年后，一次他随口问弟弟："唉，当时给你的 5000 块钱，还剩下多少？"陈渝腼腆地说："都存起来了。"陈坤才知道，弟弟一直存着那笔钱，一分都舍不得花。原来弟弟担心妈妈的钱用完，所以一直存着。

一片赤心，以最简单的
方式修行

🎬 真正的公益在身边

经济宽裕了，陈坤总是伸出热情的手，帮助困难群体：2004 年圣诞节，公益签售第一张专辑《渗透》，版税全数捐赠给博爱工程基金会；2007 年 7 月，知道家乡重庆遭受百年难遇的洪灾之后，身在香港拍戏的陈坤坐不住了，为重庆灾区捐款 10 万元，他还发出号召，请大家一起为灾区捐款捐物。

2012 年，陈坤受邀与法国知名品牌 agnès b 联合设计推出限量系列产品，他将这次所得的全部盈利 10 万元赠给慈善项目"大爱清尘"。仅此慈善项目，他已于 2011 年 11 月、12 月共捐款 30 多万元。

2012 年 1 月，陈坤向"关爱老兵"捐款 50 万元。此前，陈坤还为身体不好的抗战老兵支付手术、医药费，并购买鱼肉、滋补品等物资改善老兵们的生活。

……

陈坤对慈善有自己的见解："慈善"如果分开解释，应该是"用慈悲的心去善良地帮助别人"。你帮助别人一个微笑，也是慈善，财物只是一个方面。因此，陈坤非常重视身边的慈善。在演戏时，他认为场工、灯光、武行是极为辛苦的，没有这些兄弟，自己就不可能得到这么多的荣誉和财富，因此对这些兄弟特别关心。在拍摄《龙门飞甲》时，他发现自己的武行替身演员刘坤平时总舍不得吃，知道他很喜欢吃牛肉干后，陈坤就给刘坤买来一箱。后来，刘坤的母亲病了，需要上万元的医疗费，陈坤知道后，立即出钱让刘坤为母亲治病。

后来，刘坤在保加利亚拍摄一部电影时，不幸因工伤去世。听到这个消息，陈坤当时就哭了，并向刘坤的家人捐了款。

陈坤还经常给场工等工作人员买水果、饮料等。他说，这些虽然微不足道，但重要的是，在他的内心里从来就没有"大牌"与"小牌"之分。

🎬 保持一颗清贫之心

陈坤出名早，但他始终没忘了自己的苦出身，因此时刻都在反省，并加强自律。所以无论走多远，他骨子里仍是个朴素的人。

只要可以选择，去菜市场或者超市，他总是挑便宜的东西买，哪怕有时候相差只有几毛钱。因为职业原因，出入高档酒店、会所多了，难免会有虚荣心作祟，但他始终坚守着自己，对繁华保持一颗警惕之心。他知道，内心清贫不仅是一种生活姿态，更是一种修为。

在拍完《像雾像雨又像风》之后，陈坤去了一趟欧洲，回北京之前，他想给自己买一件礼物。逛了一圈商场. 他人生中真正给自己买的第一件礼物，却是一套盘子和碗。六个盘子、六个碗，还有一打餐布。当时他想，回到北京之后可以用这些盘碗，请朋友来家里吃饭。回到北京之后，他又觉得这些盘子和碗有点贵，舍不得用，就带回重庆送给妈了。

后来，他住上了近三百平方米的房子。有一次一个朋友到他家，惊讶地说："你的家居然没怎么装修！"然后告诉他，这里应该怎样隔断、那里应该摆什么。他却说："没有必要，这不是住得很好吗！"

"各种诱惑是魔鬼。"陈坤说，"约束，是对繁华保持的警惕心，是对'魔鬼'的反抗心，是对清贫的敬畏心。"

做一个梦想推动者

在北京电影学院，只要不是要钱的事，只要是力气活儿，尽管陈坤很瘦，体力也不算好，他都会抢着去做。

一次，班上组织同学们到野三坡去玩。事先需要准备一些食品，大家就分工，女生去买什么，男生谁去买什么、谁又去买别的。陈坤和霍老师被安排在一起，到学院桥北边的一个超市买矿泉水。两人一人借了一辆自行车，就出发了。

霍老师都回来好半天了，老师们和同学们眼巴巴地望着，就是不见陈坤的人影。大家担心起来：为什么还不回来，不会是出什么事儿了吧？倒是霍老师比较肯定："能出什么事儿啊！"

等了好长时间，陈坤才一头大汗地回来了。崔新琴老师说："坤儿，你没出事儿吧？""没有，挺好的。"崔老师又问："那你怎么那么慢？"陈坤答："老师，我从来没骑过自行车，这是第一次，我不会骑自行车，还要带那么多的东西。""你怎么就不会骑自行车？"崔老师接着问。陈坤说："崔老师，你知道我是哪儿人吗？"崔新琴说："重庆啊。"

重庆是山城，挺大的上坡下坡，出门一般没有人骑自行车。陈坤从来没骑过自行车，在接受任务时却不说出来。虽然满头大汗，他到底还是安安全全地把东西买回来了。

一个人，无论是在人生的上坡还是下坡，都能把力所能及地为他人做一点事放在第一位，他就能进入人生的平坦大道。

接下来，陈坤又开始了新的行走。

2010 年夏天，陈坤去湖北某地演出，途中遇到一件事，对他的触动很深。接送演出团的工作人员是个年轻的女孩，因为一整天都跟他们颠簸在路上，凌晨一点的时候突然崩溃，当着他们所有人的面号啕大哭。陈坤当时心里就像被蜇了一下：现在的孩子，都这么脆弱吗？于是他萌生了为孩子们做些什么的想法。

他从离开家乡到北京，由一个穷苦人家的孩子，一个孤僻、自卑、傲慢、怀疑的男孩慢慢成长为一个简单自信、充满正能量的男人，现在终于有了做一点儿

"我突然认清了自己来世间的使命。我来这个世界上，是要做一个推动者，也是一个同行者。"

"一旦行走，走在异乡的大地或山河之间，你会发现，你在自己的城市的那点悲欢，在此地，完全没有了意义。当然，别人的悲欢，在你眼里，也没有了意义。所以，走吧，在走的过程里，在眼睛的跨界里，你会发现一个悲欢之外的广阔天地。"

有益于社会的事情的想法；继续自己外在与心灵的行走，让孩子们和自己一起做一次探索。他希望通过一次行走活动，让孩子们学会让内心安静下来，放松自己，与内心对话；他希望每个人于行走中在心里播下正能量的种子，这颗种子在未来会发芽、开花、结果。这样的行走是非常有意义的。

2010年7月，陈坤成立了自己的工作室——"东申童画"，他想时机到了。他的工作室运作的第一个公益项目就是"行走的力量1+N去西藏"。在上万名大学生里，经过各种选拔和培训，最后挑选了十名，陈坤带着他们一起走进西藏。陈坤在做这件事时并没有什么顾虑，他只是想做一件自己想做的事情、一件有意义的事情，不需要回报，也不需要别人的赞扬。

2011年8月25日，"行走的力量"筹备半年之后，陈坤便和这十位大学生

"人生下来，都是要往前走的。有的人走着走着就把生活走成了泥潭，有的人走着走着就把生活走成了自己的道路，有的人走着走着就把生活走成了无垠的天空。可以在泥潭里腐朽一生，也可以在路上行走一生，也可以在天空飞翔一生。"

"现在的我们生活在一个躁动的时代，海量的咨询、无尽的诱惑。深深呼吸，保持冷静，从容面对世间荣辱。做自己的主人，不要让外境把你带走。"

从北京出发了，从而开启了一种用最简单和本能的方式，传达积极向上的人生态度、生活理念，最终达到净化心灵的目的。这样一种具有创举性的公益活动，其主题为"行·静 喜马拉雅"。"行"，是指行走；"静"，部分指行走时倡导的禁语行走、安静关注内心的方式，部分指在行走中会加入的心灵静修部分。活动于同年9月4日结束。

从此，他一发而不可收。2012年"行走的力量"主题为"观·心 青海"。2012年8月22日至9月3日阿尼玛卿山行走：本活动的第二站，即陈坤携80余人的团队，用十天九夜的时间完成了180公里的阿尼玛卿山徒步之行。期间经过无人区、冰崩区、野生动物出没区等，所有的志愿者都坚持走完全程。最后一天因遭遇高原恶劣天气，剩下47人以45公里的路程提前完成了本次活动的全部行程。其中，有 16 名志愿者在完成阿尼玛卿山行走后，前往"行走的力量"指定的青海四所学校进行为期半年的支教。

2013 年 8 月 19 日，陈坤与"行走的力量"80 余人团队正式回到拉萨，成功完成第三季"行·静 喜马拉雅"珠峰东坡嘎玛沟环线的行走。因高原雨季天气恶劣，众位行者最终在雨和冰雹的洗礼中将行程压缩至八天，完成了全程徒步。

2014 年 7 月底，"行走的力量"第四季"心·迹 敦煌"启动，陈坤带领近 20 名青年创业者从敦煌出发，徒步 6 天 5 夜走完全程 150 公里，抵达雅丹魔鬼城。近 70 度的地表温度、平均 38 度的高温环境、茫茫的黑戈壁，都为此次行走打上了严酷的烙印。而对于自称为"高海拔动物"的陈坤来说，戈壁的高温行走无疑是一场巨大的考验。陈坤不仅经受住了考验，并且鼓励伙伴们："希望大家能够在吃苦的环境中保持自己的毅力，保持内心的平静，做自己心灵的国王。"

在艰苦的行走过程中，为了缓解疲劳，一向以优雅绅士的美男子形象示人的陈坤也发挥起了他的搞怪潜能，卖萌求瓜、篝火狂欢、劲歌热舞……各种搞怪逗乐桥段层出不穷，让人忍俊不禁。

行走是一种巨大的力量，行走是一种修行，更是一种探索，无论前面的道路是坦荡大道还是崎岖小路，是高山耸立还是峡谷凹陷，陈坤都会充满信心地坚定地走下去……

黄晓明

—— 洋溢着真诚快乐的"黄木头" ——

黄晓明说："少说话，多做事！我不是最好的，但我要做最努力的。"

王勤／摄

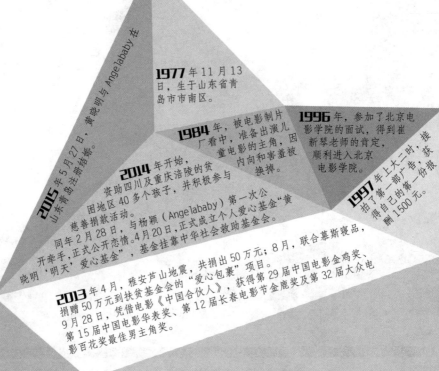

1977 年 11 月 13 日，生于山东省青岛市市南区。

1984 年，被电影制片厂看中，准备出演儿童电影的主角，因内向和害羞被换掉。

1996 年，参加了北京电影学院的面试，得到崔新琴老师的肯定，顺利进入北京电影学院。

1998 年，拍摄第一部视剧《爱情是游戏》（又名《年华似情似火》）在剧中出演男一

1997 年上大二时，接拍了第一部广告，获得自己的第一份报酬 1500 元。

2015 年 5 月 27 日，黄晓明与 Angelababy 在山东青岛注册结婚。

2014 年开始，资助四川及重庆涪陵的贫困地区 40 多个孩子，并积极参与慈善捐款活动。同年 2 月 28 日，与杨颖（Angelababy）第一次公开牵手，正式公开恋情。4 月 20 日，正式成立个人爱心基金"黄晓明'明天'爱心基金"，基金挂靠中华社会救助基金会。

2013 年 4 月，雅安芦山地震，共捐出 50 万元；8 月，联合慕斯寝品，捐赠 50 万元到扶贫基金会的"爱心包裹"项目。9 月 28 日，凭借电影《中国合伙人》，获得第 29 届中国电影金鸡奖、第 15 届中国电影华表奖、第 12 届长春电影节金鹿奖及第 32 届大众电影百花奖最佳男主角奖。

2012 年，担任主演电影《匹夫》的出品人，获得英国万像国际华语电影节最佳男主角；11 月 13 日，揭幕一款完全按照他在新片《血滴子》中的"天狼"造型打造的蜡像，成为首位也是唯一一位入驻香港杜莎夫人蜡像馆的内地男艺人。9 月 1 日，在"芭莎明星慈善夜十周年庆典"上，共捐出 110 万元人民币。

2011 年，与经纪人黄斌共同成立"黄晓明工作室"；参与多部影视剧的投资，同时涉足红酒、饭店、互联网、高尔夫球场等多个领域。

2010 年 4 月 22 日，"北京旋绿低之春"活动当晚，再度捐出现金 20 万元，用于玉树地震的灾后重建；12 月，联手苏宁推出5000 万元慈善资助项目

HUANGXIAOMING
黄晓明
大事年表

2000年，拍摄电视剧《网虫日记》。

，该剧由央台投资、出，是黄明演艺生的开始。

2001年，担当大型历史剧《大汉天子》三部曲的男主角，饰演汉武帝"刘彻"，开始走红。

2004—2006年，先后接拍《神雕侠侣》《新上海滩》两部经典之作；在日本迅速走红，被日本媒体评为"亚洲十大男优"之一，也是唯一上榜的内地男星；首次出演冯小刚导演的电影《夜宴》，在片中饰演殷准。

2007年4月9日，正式签约华谊兄弟；发行首张个人专辑《Its Ming》；获得音乐颁奖典礼上"最受欢迎新人"和"最佳新人"两个奖项。9月8日，在首届明星慈善夜"全能艺人·BAZAAR明星慈善夜"上获中国十大慈善明星，并于共同出资100万元，携手启动"阳光行动"老年白内障慈善基金。

2008年3月1日，在新娱乐慈善群星会上，获得"最具关爱慈善之星"和"最期待闪电之星"两个奖项；5月13日，为四川灾区捐款15万元并捐血，之后又与合作的某品牌再次捐款20万元，并定制了一批价值15万元的帐篷、5万余元的药品物资运送到灾区；5月16日，作为"中国儿童少年基金会形象大使"，与中国儿童基金会合作，个人捐出100万元成立"安康儿童家园专项基金"；5月29日，倡导大连明星义卖活动，为"安康基金"筹集善款273万元；10月24日，捐款100万元认养一对大熊猫龙凤胎（名为平平、安安），并被聘为中国保护大熊猫研究中心的爱心形象大使。

2009年，在中国首部谍战大片《风声》中挑战大反派，获得金鸡奖最佳男配角及百花奖最佳男主角提名。

2009年8月5日，被联合国儿童基金会香港委员会委任为"联合国儿童基金会香港委员会爱心大使"；8月14日，捐款100万台币给受到台风莫拉克袭击的台湾同胞；10月25日，在上海被世博会授予"世博会志愿者宣传大使"称号；11月27日，赴川验收，由中国儿童少年基金会"黄晓明安康儿童家园专项基金"援助的四川灾区首个"安全应急体验教室"，和小朋友演习火灾自救。

美丽的"黄木头"

爱看书的"黄大蔫"

黄晓明刚出生时，奶奶喜滋滋地跑去看，但当那个粉团团的孙子进入奶奶的视线时，奶奶吓了一大跳："这小孙子太丑了，大鼻子大嘴的！"

1977年11月13日凌晨5点，黄晓明出生于山东青岛一个知识分子家庭。给儿子取个什么名字呢？拂晓时出生，爸爸说，就叫"晓生"吧！妈妈觉得这个名字太俗气，想了想说："我看就叫晓明。"父亲立即称赞道："这个名字好，《诗经》上不是说，'明明在下，赫赫在上'，做人要低调，做事要高调，不求儿子将来赫赫有名，但不要凡俗平庸。"

黄晓明的爸爸是电力工厂的一名工程师，妈妈从事财务工作，为了让孩子从小就懂得好好做人，他们对黄晓明要求很严格。上幼儿园时，有个女孩抢了黄晓明的纸飞机。他想，纸飞机本来是我的，你为什么要抢？于是，他赶紧去把纸飞机拿回来，却不小心撞到女孩，女孩一下跌倒在地，"哇哇"哭起来。爸爸知道这件事后，对他说："纸飞机虽说是你的，也可以让给她玩的，对别的小朋友要友好。"这样的教育，把谦让的种子播在了黄晓明幼小的心田。

爸爸是要让黄晓明不光有一个漂亮的外表，还要心地善良。奶奶当时说他长得丑，其实是打心眼里夸孙子长得俊：大鼻子大嘴巴，还有一双明亮的大眼睛、一道弯弯的眉毛，分明是一个"小帅哥"。

"小帅哥"的做派一点儿也不"帅"，低调得很。平时，他总爱低着头，一副羞答答的样子，不知情的人总以为他是个女孩。由于他长得漂亮，且谦恭随和、懂得让人，小孩子们都愿意和他一起玩。上小学的时候，有些班干部，特别是女班干部，会借助权力把黄晓明换到他们的座位旁边；也经常有同学邀他一起做值日、一同扫地、一同倒垃圾，放学时还一同回家。

　　可是，黄晓明并不能经常满足这些同学的要求。因为他特别爱看书，尤其当爸爸妈妈给他买了新书的时候，每天他都盼望能快点放学，下课铃声一响，他就急急忙忙地往家奔。什么一起值日、一同玩耍，只能对不起了！这一切都比不了新书里面丰富有趣的各种知识，以及那些让他发笑、让他担忧的故事。于是，就有孩子开始报复他的"不给面子"，特别是那些有着虚荣心的漂亮女孩——有个女孩老爱反拧他的胳膊，就像《红色娘子军》中的女战士押着南霸天，一会儿押到这儿，一会儿押到那儿，不过，这个女孩可没女战士严肃，她往往是一边押着他四处走，一边笑个不停……

　　也许黄晓明以为是女孩子就该让着，这也是一种友善。可爸爸却发现一个问题：儿子"管"不住人。因而他希望儿子将来做一份不太跟人打交道的工作，比如科学家、文学家什么的。爸爸开始有意识地培养他，买《十万个为什么》《格林童话》等许多科学、文学方面的书籍，这扇新奇有趣的"窗"让黄晓明十分着迷。

　　这样的小孩子可以说人见人爱。小时候，大院里的"伯母""婶婶"们见了他总会开玩笑，说："明明，我把女儿嫁给你吧。"说这话时，他只有几岁，还不明白是什么意思，可他能得到她们给的巧克力、冰淇淋等好吃的，于是就喜滋滋地说"好"，那些人便要他叫她们"丈母娘"。黄晓明当然不知道"丈母娘"是什么意思，但"拿了人家的手短，吃了人家的嘴软"，他便"丈母娘、丈母娘"地叫得很甜。

　　那么多的"丈母娘"，宣传当然不成问题了："有一个孩子叫黄晓明，爱学习、懂礼貌、长得漂亮。"这样，他的名气就越来越大，于是惊动了一个摄制儿童片的剧组。一天，导演让人捎信来，让把黄晓明带去剧组给他们看一看。

　　那天，在歌舞团工作的二姨带黄晓明去了儿童片剧组。剧组的工作人员很喜欢这个知书识礼的"小帅哥"，黄晓明就这样被选入剧组。但他在剧组的表现可一点不"帅"——要他演戏时，他老是捂着脸。"这个孩子长得是好看，就是太害羞了，我们没法拍。"剧组不得不放弃。黄晓明却一点也不可惜："我才不做什么演员呢，我要当科学家。"

惹眼的外貌、"低调做人"、勤奋学习，似乎是带他到仙源福地的三驾马车。黄晓明年少时的成长之路，可以说没有波澜、没有悬念：重点小学、重点中学、班里常年的升旗手，他还主持各种演出、拿各种各样的奖……

高中的时候，一直想做科学家的黄晓明似乎想做文学家了，于是他读了文科班。清秀高大、成绩优秀、中规中矩的他，成了老师们的宠儿，更有很多成绩优秀的女生暗暗把他当作心中的白马王子。虽然如此，黄晓明依然是整个校园里最沉默的一个：不爱讲话，整日把头埋在书本里，同小学与初中时一样，每天放学马上回家。这样一来，一些同学特别是女生就又开始"欺负"他了。她们给他取了一个外号——黄大蔫。他也不生气，大蔫就大蔫吧，只要你们让我安安静静地读书就行了！

千里马常有，而伯乐难寻

对黄晓明而言，报考北京电影学院纯粹是个巧合。一次偶然的机会，黄晓明客串了青岛电视台一期少儿节目的主持人，内容很简单——少女主持人对黄晓明说："黄晓明，你喜欢听歌吗？"黄晓明说："喜欢，我还喜欢唱呢。"接着他用稚嫩的嗓子唱了起来，"我心中有个太阳，我心中有个月亮……"

太阳和月亮的光辉都照到了他的身上，让他更加闪亮。当时，青岛电视台教黄晓明普通话的老师刚好是从北京电影学院毕业的。"北电"要来青岛挑选学生，老师心想，这么漂亮的孩子不去演电影，简直就是"浪费资源"啊。老师还想，说不定青岛真能爆出一个明星，也能给青岛人长长脸。目标如此远大，接下来就是几次三番地劝说。黄晓明想，老师如此苦口婆心，要是不去，"没有面子"的老师又该"报复"了，于是答应去试试。

1996 年的夏天，北京电影学院到青岛招生。

纵然海风习习，也无法驱散考场内外的紧张气氛。这也难怪，北京电影学院已经有十年没在青岛招生了。这次来青岛，自然点燃了不少青岛年轻人的表演梦，报名的人也就特别多，竞争十分激烈。

一试、二试时，也许是因为和儿时被拍摄儿童片的剧组叫去一样——特别腼腆，也许是因为他的脚受了伤有些放不开，黄晓明的表现非常一般，不，可以说相当糟糕。考官们认为：黄晓明的表演很像一块木头，不过形象不错。又是"长得好看"给了他机会，他也就得以进入三试。

三试时，一位女老师不想与"这么好的资源"失之交臂，想方设法地调动他的积极性："黄晓明，你能表演一个和同学吵架的场景吗？"黄晓明怯怯地说："报告老师，我爸爸妈妈说过，和别人吵架的孩子不是好孩子，凡事要让着别人一点。"老师并不认为他冒犯了自己，心中反而一动：这样的家庭教育不错！接着说道，"你能演一个逮蛐蛐的小品吗？"

黄晓明想：捉蛐蛐？长这么大，我还没见过蛐蛐是什么样儿呢！于是张口便说："报告老师，我们青岛没蛐蛐！"先前不肯演吵架，回答还说得过去，可这句话一出口，全场不禁哗然，有的老师甚至蹙起了眉头。黄晓明见状，心想：看来我真的不是演戏的料，又要和儿时那次一样，与演戏无缘了。但他一点也不在乎：我不是不想来吗！

这位女老师并不管其他老师的反应，而是耐心地启发他："青岛总有蝴蝶吧，那你给我逮个蝴蝶总可以吧？"黄晓明想：蝴蝶多么美呀，平时见到别的孩子捉蝴蝶时他都会劝阻。于是说："报告老师，蝴蝶只有公园里才有。"这位老师坚信黄晓明就是一匹千里马，依然对他充满了耐心："你就把这里当公园吧。"可他就是不想做伤害蝴蝶的事，说："报告老师，我的脚受伤了，追不上蝴蝶。"

三试中虽然他没有表演，但在这一问一答中，老师看到了黄晓明的直率和本真，对演电影来说，这就是最好的要素，是最基本的潜质。女老师说："黄晓明就算是块木头，也是块美丽的木头，是个可造就很多东西的木头，我要了！"

这位女老师名叫崔新琴，后来成了他们班的班主任。

面试之后，崔新琴还特地让黄晓明去了北京电影学院一趟，他们要看看黄晓明的脚是否真的是因为车祸受的伤，对今后的发展会不会有影响。

尽管他考上了，可人们更相信他有些"二"。

当时，老师建议黄晓明报考"北电"时，黄晓明对"电"的认识就只有父亲的电力厂，还有与电力相关的电缆厂，他对电影学院没有一点概念，还以为就是个电缆厂呢。事后，黄晓明回忆起这件事时，仍然感激连连："在我成长中，对我影响最大的人就是崔老师，我被破例招到电影学院，让我走上了一条以前从来没有想过的发展之路。"

"黄大蔫"成了"万元户"

也许长久以来黄晓明习惯了自己在群体里"最优秀"的位置，进到电影学院，他慢慢发现，比他更优秀或和他一样优秀的人原来有那么多。爸爸妈妈见不得儿子的失落，说："如果做这不行了，大不了回青岛做个主持人，工作比较稳定。"但其实他们看错了自己的儿子。越是遭遇逆境，黄晓明心底里那根好胜好强的神经越会蠢蠢欲动：尽管他对演戏的兴趣不大，但他觉得，既然进了这个门，就不能比别人差；当然，更要抓住一切机会比别人强。

他刻苦学习专业知识，同时对文学更加着迷，什么《红楼梦》《水浒传》《朝花夕拾》《骆驼祥子》《繁星·春水》《鲁滨孙漂流记》《格列佛游记》《简·爱》……抓过来就看。文学素养的提高对他拍戏有很大的帮助。大二的时候，见他表演水平不错，一家奶粉厂找到他，因而他接拍了第一个广告。两个男孩，两个女孩，很轻松地摆摆姿势，就挣了 1500 元。这是他自己挣的第一份钱。拿到钱以后，他兴奋地数了两遍，随后这点兴奋就被突然冒出来的责任感淹没了——他将这 1500 块钱寄回了青岛家中。

之后，黄晓明不停地接广告，最大的一笔报酬有 2 万元，于是他又被同学们取了个外号，高中时的"黄大蔫"就成了"万元户"。当年的同学，如今还会说起这个豪爽的"万元户"。每每拍完广告，他就会请大家吃饭，还会跟哥们儿说："你们想吃什么就跟我说，我每天晚上都请你们吃饭！"这当然也是对人的友善。

坚韧的"大头靴"

可以羞涩，可以让人，但不可以不坚韧。"千磨万击还坚劲，任尔东西南北风"，坚韧是前进的基础，是提升自己的动力，黄晓明坚信这一点。车祸是平常人避之唯恐不及的，而黄晓明却三番五次地陷入其中，难得的是他能逆向看待这几次车祸："车祸让我的精神得到升华，可以用很平和的心态去看待许多事情。车祸使我长大、成熟了！"

📽 第一次车祸："铁拐李"也要考北影

参加北京电影学院的考试时，是爸爸背着黄晓明去的考点。爸爸并没把这件事看得有多么大，而是笑着说："演个铁拐李倒不错。"和黄晓明一样，他对这次考试一点也不抱希望。原来黄晓明刚遭遇一场车祸。

那是参加考试前的一个月，备战高考的黄晓明骑着自行车去学校上课。过马路的时候，一辆吉普车突然从身边过去，擦着了黄晓明，他摔倒在地，就感觉脚趾响了一下。司机赶紧下车问："小伙子，你没事吧？"黄晓明伸了伸脚，还算利索，也没感觉到哪儿太疼。这时他的第一念头就是，不要为难司机，就说："没事啊。"司机也特认真特执着："那你走两步看看。"黄晓明走了两步，依然没发现哪儿怎么疼，就说："没事，你走吧。"司机觉得自己真是遇到了一个正直善良的小伙子，要是换了别人，就算不讹他一笔钱，至少不会这么痛快地就让他走。司机深受感动，也有些不放心，就给黄晓明留了一个电话号码，说："有什么事，你给我打电话。"得到的回答是："没事的，没事的。"

也许当时是被车压麻木了，司机走了没多久，黄晓明就感觉不行了。后来才知道，那辆吉普车是从他的脚面上轧过去的，幸亏他穿着一双"大头靴"，是皮靴那坚硬的靴底给他挡了一阵子，他的脚才未被碾压成粉碎性骨折，只是两个脚趾骨折了。医生告诉他三个月内不能下地走路，可一个月后黄晓明就拿着拐杖，让父亲背他去了考场。虽然对考试不抱什么希望，但他答应了那位教他普通话的老师要去试试，即使要父亲背他去，也得说话算数。这份率真和信守诺言的好品质，是他被电影学院看中的最重要的原因。

第二次车祸：人生不是被肌肉包裹住的"玻璃屑"

路虽宽广，可一点也不顺当。老天爷似乎找到了一个考验黄晓明是否坚韧的好方法，再次让他遭受车祸的痛苦。第二次车祸发生在他毕业后没多久。

2000 年快要毕业时，黄晓明接拍了英达的电视剧《网虫日记》。一天，他开车到了北京电影学院附近，只觉得白光一闪，就什么也不知道了。大约半个小时之后，他才慢慢地醒来。

原来，那天黄晓明开的夏利车和一辆迎面而来的东风大卡车相撞，他的车被撞到另一辆车上再弹回来。醒来时，他看见车玻璃上有很多血，很多人围着他。他第一句话就是问周围的人："我的脸没事吧？"人们觉得他就知道"臭美"，"都什么时候了，命都快没了，还惦念着自己的一张脸！"在看到周围人这样的反应后，他解释道："我是演员，脸特别重要。"其实，不说演员，就是普通人，手不重要？脚不重要？不过，这时他已经有了一些经验——被撞后半个小时就醒过来，只是下巴感到火辣辣地疼，说明已不再是麻木的，其他地方也就一定没事。周围的人告诉他："没事，应该没事。"他的脸确实没事，只是下巴下面划了个口子，嵌入很多碎玻璃，一动就像针扎一样疼。

车子已报废，不过和高考前的那次车祸一样，他再次死里逃生。侥幸的是，身体没有大碍，黄晓明也将这次车祸当作一桩小事来对待。他谢绝了许多人要送他去医院的好意，一个人打的去了北医三院。

到了医院，见他很轻松的样子，医院也将他视为一般病人，只是安排了一名年轻医生为他处理伤口。年轻医生似乎和他很聊得来，在给黄晓明缝合伤口时特意说："我是个实习生，刚来的。"接着还跟黄晓明聊了一会儿自己和女朋友的事情。

年轻医生本来是学了一些心理知识的，和他说这些，是为了让他不紧张。可年轻医生的话倒让黄晓明感到一阵恐慌。年轻医生给他的下巴和耳鬓共缝了六针，伤口缝完后，黄晓明一直感觉有点不对劲——好久了，可是脸一点都没有消肿。终于在四年后的一天，一位中年医生为黄晓明又动了一次手术，取出了一块被肌肉包裹得严严实实的玻璃屑。

这点"小事"他当然不能告诉爸爸妈妈。做完手术之后，黄晓明一个人在所租的平房里养伤，饿了就去楼下买个肉加馍吃。

就是这段时间，黄晓明突然有了一次醍醐灌顶般的领悟：人生不是被肌肉包裹住的'玻璃屑'，干吗什么事都要束手束脚放不开？年轻医生为自己缝合伤口时，他明显感受到不对劲，可就不知道跟那位年轻医生讲，使得这块玻璃屑被包裹在肉里长达四年。这件事让他想到了表演，表演上更不能束手束脚的放不开。从此，他找到了那种汪洋恣肆的感觉。

"放不开"不光让他因肉里有玻璃屑而做了第二次手术，在演戏上更让他吃了不少苦头。两年前，他接到了人生中的第一部电视剧——《爱情不是游戏》（又名《年华似水情似火》）。在剧中，黄晓明扮演男一号肖卓。该剧由中央电视台投资、播出，结果却反响平平。因此，有将近两年的时间，黄晓明再没有接到拍摄邀请。而这次拍摄《网虫日记》，虽然出了车祸，却让他悟出了至关重要的道理，原来"魔鬼"有时也是天使。

2001年，黄晓明被投资方看中，担当大型历史剧《大汉天子》三部曲的男主角，他不负重望，成功演绎了汉武帝"刘彻"的一生，这也成为他演艺事业的转折点。

第三次车祸：滴水光阴中也有生命阳光的"谱系图"

2003 年，黄晓明参加电视剧《龙票》的拍摄，经历了他人生中的第三次车祸。

11 月的一天，某记者发布会。"不好意思，来晚了！"随着一阵清脆的声音响起，黄晓明出现在记者面前。当人们的视线落在他身上时，所有人都吓了一跳——光头，墨镜，脖子上套着一个白色的颈套。记者本来等得有些不耐烦了，看到如此出场的黄晓明，着实深受感动。这是正在拍摄《龙票》的黄晓明在银川遭遇车祸后第一次公开面对媒体。记者们很疑惑：为什么还要戴副大墨镜呢？黄晓明摘下墨镜，原来他的眼睛竟是通红的！

果真是祸不单行，车祸后颈椎受伤但坚持留在银川拍戏的晓明又得了急性角膜炎！黄晓明很尊重记者，意识到戴墨镜对人有些不礼貌，于是问记者："要不要摘下墨镜说话？"记者更加为之动容，说："还是戴上好。"重新戴上墨镜的黄晓明又是一连串的"不好意思"。记者们说，不知采访过多少人，而这次是最感人的一次采访。当说到车祸、说到过生日时，黄晓明的情绪有些激动，虽然戴着墨镜记者看不到他的眼睛，但他的喉头哽咽了好几次。

这次车祸发生在 10 月 28 日，黄晓明从银川到内蒙古拍摄地的路上。出事后，他的头顶划伤，第六至七节颈椎骨骨折。医生告诉他，头颈处一定要打四个星期的石膏，否则就有可能影响骨头的愈合。但黄晓明自车祸那天起，没有一天停止过拍摄，石膏也就没有打，只戴了一个护套。他随剧组去新疆，就戴着护套继续进行运动量非常大的拍摄。

当被问到如此坚持的原因时，他回答得很简单："休息一天，全组四十多人都要跟着我休息，损失太大，因此在能坚持的前提下我就坚持。"会不会留下后遗症，目前尚不清楚，要是有，说不定会让他的下半生受到许多折磨。我们知道的情况是，他现在睡觉已只能使用特定形状的条形枕头。

其实，黄晓明不顾一切地超负荷拍摄，是在为剧组和朋友们考虑。演员们大多接拍了其他影视剧，档期都排得满满的，如果拍这部剧的时间耽误了，其他拍摄就会违约，对朋友们是非常不利的。

以心换心、以情换情，朋友们对他的好也一刻都没忘记。这次车祸那天正好是黄晓明的阴历生日，他刚被送进医院，就接到奶奶打来的电话："明明，祝你生日快乐！"黄晓明不知该如何回答。他不敢告诉奶奶实情，怕家里人为他担心。其实，他的生日伙伴们都记着呢。

剧组从银川撤离的那天，正好是黄晓明的阳历生日。收工后的他回到宾馆时已是午夜，静下心来，他突然记起生日这件事：这么晚了，一觉醒来，生日就过去了，他不禁有些惆怅和伤感。不过转念一想，就这样平淡地度过一个异地生日也不错，倒落得一个安静。正要躺下，突然"Happy birthday to you"的音乐响起，他想，是收音机里在播放生日歌吧。可这声音越来越近，黄晓明竟然看到他的两位助理，一个手中端着一个放音乐的小 DV，一个端着一碗西红柿打卤面，径直走进他的房间，对他唱起了"生日快乐"。

他的眼眶一下就红了：拍摄这么紧张，他们居然还记得自己的生日；而且要是在上海、北京，半夜 12 点端个生日蛋糕过来都一点不稀奇，可是在这样偏僻的地方，这么晚了，他们去哪儿弄来的这碗面？想到这里，黄晓明有些哽咽。

他很想哭，但他不能哭，因为助手们都笑得很开心，"原来他们这样做就是为了让我开心！我怎么能破坏这样的氛围呢！"于是他控制住情绪，认真而动情地说："我活了二十六岁，这是我过得最好的一次生日！"助手们说，"是啊，在如此偏僻的地方过上一个简朴而快乐的生日，让人一辈子都会回想。"

不要排场、不要物质丰盛，一段音乐、一碗打卤面，每一个音符、每一根面条，都寄托着朋友的无限深情，而这朋友之情就是世界上最丰盛的晚餐。

虽说前后遭遇过三次车祸，黄晓明倒觉得自己十分幸运："几次车祸都只伤到额头以上和下颌以下，没伤到脸，并不影响拍摄！"他笑着用手在脸上比画着。现实又一次证实，魔鬼有时就是天使，拍《网虫日记》时虽然脸肿成个胖子，因为是喜剧，导演就故意设计了一段脸被打肿的情节，车祸的悲剧不再悲，倒是加重了喜剧的味道。这次在内蒙古拍戏，由于内蒙古那边风沙很大，车祸受伤之外又得了急性角膜炎，眼睛通红，导演又有了"苦中作乐"、坏事变好事的创意——故事中又多了一段眼睛被打红的情节。

与车祸打了三次交道，黄晓明是如此惜福而乐观："车祸让我看到了很多温暖的东西，比如这次，我很感谢身边有这样两位贴心的好助理。"

"放开"了、升华了，让他的事业直线上升，不过他还是保持着自己质朴的本色。尽管《还珠格格Ⅲ》和《大汉天子》让他迅速蹿红，对于媒体所称的"新一代内地四大小生"之一的称号，他却表现得尤为谦虚："我做得还很不够，我希望观众看到的黄晓明是一部戏比一部好。"他始终认为，只有更好的演出才是对一切于他有恩的朋友最好的回报。

🎬 第四次事故：不怪任何人，纯属意外

上帝对黄晓明的考验似乎有些过头了，除了三次车祸，他还出了一次意外。

2012 年年末，本该是黄晓明最忙的时候，《大上海》和《血滴子》两部电影皆是由他主演的，表演可圈可点，宣传满档，差点就成了"贺岁黄"。没想到，一次意外受伤让他不得不听从医嘱在家静养，大部分活动他只能缺席。

那是 11 月 19 日中午，正拍摄电影《白发魔女传之明月天国》的黄晓明被吊在了三米高的地方，这个高度本来不应该有什么事，但偏偏就出了问题。正拍摄着，突然他觉得身子一轻，心中立刻一个闪念：威亚断了！紧接着'砰'的一

黄晓明 洋溢着真诚快乐的"黄木头"

声，他双脚着地，随着"哎呀"一声大叫，他两膝一跪扑倒在地。

周围的人一声惊呼，立即冲了上来。黄晓明还算冷静，对大伙说："请不要动，不要动，那个地方很痛。"他心里知道，一定是脚骨断了。万幸的是，他的左腿带了保护的硬壳，否则，他的膝盖骨也肯定要碎。脚和膝依次着地，然后是手，脸最后着地，也受伤了。

听说儿子出了事，黄晓明的妈妈第一时间赶到，如同以前一样，黄晓明安慰妈妈说："没事的，没事的。"妈妈知道儿子在努力忍着疼痛，因为他一直很坚强。为了不影响儿子的情绪，黄妈妈尽管泪水在眼眶中打转，也不让它掉下来。但离开儿子后，黄妈妈还是大哭了一场。

和以前每次受伤一样，他总是疼痛自己忍着，尽量为别人开脱。导演张之亮来探望黄晓明，主要目的是向他道歉，但黄晓明没等张导演开口，就说："对不起，耽误大家拍戏了。"听他这样说，张导演越发感到不安，说："是我们对不起你，工作没做细，让你出了意外。"黄晓明直摇头："千万不要这样说，不要责怪任何人，不要怪武术导演，每个人都不想发生这样的事，纯属意外，希望每个人都不要在意。再说，我也承受得了，待养好了伤，再继续拍好这个戏。"

说这番话时，黄晓明坐在轮椅上，戴着帽子和眼镜，上身经过打扮，看不出来有多大问题，但断了骨头的左脚缠满了绷带，高高地搁着。"这是医生们随便给我包的，怕我着凉。"黄晓明故意显出一副很轻松的样子，语气也显得很平淡，但难忍的疼痛让他不自觉地变换着姿势。这时，医生来了，问："很痛吗？"他说："不痛，不痛。"医生叮嘱他，"这四十天内，脚一定要架高，位置不能低于心脏，不然脚会充血变得很肿。"但那样的姿势保持久了又会痛得厉害。

其实，黄晓明的脚打了许多钢钉，已经肿得很厉害，且一部分钢钉露在外面；为了固定好骨头，有一根是从指头穿到脚底的。骨折本来就疼，又打了太多钢钉、钢针，疼起来更是让人不知如何是好。睡觉时他不敢动，也不说疼，他还怕不小心刮到哪里把钢钉蹭出来，可半夜还是会被疼醒。即便这样，黄晓明还必须时不时地做一些"勾脚"动作，再疼也得做，不然的话，小腿会因萎缩而变得很细。

最艰难的一个月终于过去了，后面的日子慢慢变得好过一些。一百天之后，黄晓明的伤终于痊愈，又可以去拍戏了。

　　2014 年，在吴宇森《赤壁》之后倾力打造的又一部力作《太平轮》中，黄晓明饰演国军将领雷义方，和宋慧乔扮演的富家千金周蕴芬结为伉俪。拍摄中，黄晓明又因脚上受到碰撞而旧伤复发，让他顿觉疼痛难忍。导演让他休息，他说："影片中不是有一段雷义方的'跛脚'戏吗？我脚受了伤，演出会更逼真！"在他的再三要求下，导演只好将这一场戏提前拍摄。伙伴们说："黄晓明怕耽误拍摄的进程，总带伤拍摄，太辛苦了！"黄晓明却淡然一笑说："感觉剧本是为自己量身定制的，我还得感谢导演呢！"

　　对于各种意外，黄晓明总是很淡然："我的内心非常强大了。如果我的人生道路是一帆风顺，只能是老天爷额外赐予的；如果充满坎坷，那才是正常的。就像古人所说，'塞翁失马，焉知非福'。"这次意外，让黄晓明有了足够的时间想通了一件重要的事情，如果再有人问："你今后想演什么角色？"他会给出三个字："看心情。"他不想再让生活驾驭着自己跑，而是要让强大的内心掌控自己的命运。

黄晓明

洋溢着真诚快乐的"黄木头"

耐嚼的"大头菜"

在黄晓明童年的笔记本上，他曾经写下这么一句话："失败，爬起；再失败，再爬起。"坚韧不拔与百折不挠，为了成功，黄晓明一直这样要求自己。

在大学时，离毕业越来越近，同学都陆续接到电视剧或者电影的拍摄邀请，黄晓明却成了"被遗忘的角落"。爸爸怕他泄气消沉，总在鼓励他。一次和爸爸逛超市，老爸突然指着货架上的咸菜对他说："做演员就是摆在货架上等人挑选的'大头菜'，要努力汲取生活卤料，把嚼劲蓄大点，慢慢就会越来越有味道。"听了爸爸的话，他频频点头。只要坚持，向生活学习、向一切人学习，不放弃每一次努力，不断充实自己，没有不被社会接受的道理。

🎬 "苦不苦，想想《神雕侠侣》黄晓明"

继《大汉天子》之后，黄晓明于2006年参与拍摄电视剧《神雕侠侣》。随着该剧在各地热播，黄晓明的人气也跟着水涨船高。他所饰演的"杨过"被观众评价为最接近原著、也是最有层次感的"杨过"。

这是他不怕吃苦、敢打敢拼得来的。在"神雕"剧组，曾流行着这样一句话："苦不苦，想想《神雕侠侣》黄晓明。"因为黄晓明拍戏玩命，曾创下连续五天五夜拍戏不睡觉的记录，他有了"战神""铁人"之称。刘亦菲也爆料说，黄晓明累到可以站着睡觉。

他累、他苦，往往是因为在拍摄中总是精益求精，不放过每一个细节。在原著《神雕侠侣》中，金庸写杨过断臂，断的是右臂，在以往的拍摄中，为使演员便利，皆悄悄改成断左臂，这样"杨过"就可以右手持剑了，拍摄起来也比较方便。尽管多有诟病，但观众中却鲜有人发现。为忠实原著，黄晓明扮演的杨过终于"断"了右臂。这样一种认真精神，背后却是大吃苦头——为了让左手舞剑拍摄出来逼真好看，黄晓明苦练了好几个月。

挑战发哥，偶像终成师父

黄晓努力让内心强大起来，尝试着保持一种平和稳定的心态去看待一切；他也一直信守着低调谦恭的处世法则，在拍摄《新上海滩》时更是如此。

由于拍摄《神雕侠侣》使他人气大增，2007年他又接拍了电影《新上海滩》。在接拍该剧之前，黄晓明曾两次想推掉这部戏。只因"发哥"一直是他的偶像，要向自己的偶像发起挑战，兴奋之余，黄晓明心中更多的是忐忑，自然会"压力山大"。

拍摄前一个月，黄晓明几乎每时每刻都被困在"发哥"的阴影里，怎么也看不清该走的方向。后来他想，忐忑、兴奋都没有用，不如拜他为师，让他指点一二，要是能"青出于蓝而胜于蓝"，观众也就会顺理成章地接受自己了。但因各种原因，黄晓明却没能如愿。这时他想：发哥永远是我的偶像和学习的对象，那我就抱着必输的心态去演这个角色吧。

这样一来，黄晓明倒放得开了。他要以一种轻轻松松的心态，潇潇洒洒地演好角色。拍摄时，他极其用心地去演，希望能演出最好的自己。黄晓明面对每一场戏，都会积极地动脑筋、出点子。即使在拍摄现场，他也会频频提出一些独特的看

黄晓明 洋溢着真诚快乐的"黄木头"

法。对剧本里设置不够理想的情节，他也会提出修正意见，让"许文强"这个人物不仅在故事情节上吸引观众，也能在细节上值得推敲和回味。导演高希希是一个包容性很强的导演，对演员的这种再创造总是给予很大的支持，黄晓明也就有了更大的发挥空间。

有一场戏，描写的是许文强反对贩卖烟土祸国殃民，后与冯敬尧决裂，随之被冯敬尧追杀，不得不逃往香港。为了填饱肚子，许文强到香港之初，在一家茶馆里做起了跑堂伙计。对于跑堂伙计的手忙脚乱，剧本只是简单地描述了一下。

虽说这只是一个过场戏，但黄晓明却非常重视，希望能从细节上入手来交代人物的转变过程，于是就跟导演沟通，加入了一些细节，既表现伙计的手忙脚乱，也让他在闲瑕时于不经意间流露出在上海滩做老大时的做派，如傲慢地叼起一根烟等，而这样做的结果是老板发现后狠狠地训了他一顿。对饰演老板的群众演员，黄晓明也进行了细心的指导，使得拍摄过程非常顺畅。

不仅拍摄文戏时黄晓明能想出各种好点子，拍摄武戏时他也能时不时地提出一些新想法，使武打戏更为精彩。

黄晓明拍戏时，"连轴转"是家常便饭。一天夜晚，拍摄"许文强"等人在雨中的对手戏。虽然打着伞，但那天晚上风特别大，造出的大雨在风的鼓动下，一个劲地向黄晓明身上浇，很快就将他穿着的大衣淋得湿透了，冷得他牙齿开始打架。

拍摄进度很慢，因为大风在作怪，使得一些道具配合不好，拍摄出来的效果也不理想，不得不一遍遍地重复。其中有一个"许文强"烧信封的情节，为了使燃烧起来的火苗不被风雨弄灭，演出之前负责道具的人员便在信封上面淋了汽油，可拍摄出来依然看不到火光，不得不一次次重拍。信封一点着，便会燃起大火，每次都会烧到黄晓明的手指头。拍摄时冷得难受，黄晓明的手指甲也早已被熏得乌黑，但他从未因此叫过一次"停"。

还有一次，黄晓明因为连续工作三天多，中途没有上床睡过觉，几乎连打盹的时间也没有，精神状态特别差，频频"NG"。导演和工作人员都劝他休息一天。他却说，这怎么可以！自己休息一天，剧组也会停一天，损失会很大，本来拍摄资金就够紧张的了，不能因为自己休息而苦了剧组。但工作人员实在心疼他，最后是"求"着他，他这才肯给自己放了一天假。

为了拍好这部戏，吸一口烟都会呛得难受的黄晓明居然学会了抽烟。"每天都得抽上好几包，每次出工时人是清醒的，收工回来就是迷迷糊糊的。不会抽烟还要掐掉过滤嘴来抽，都把自己抽晕了。"抽烟让黄晓明后来"谈烟色变"，每天烟雾缭绕的感觉让他拍摄结束以后，连香烟盒都不敢去看一眼。

黄晓明对所有人都很尊敬，更不用说那些德艺双馨的老前辈了。拍摄《大汉天子Ⅱ》时，作为臣子的王刚需要跪拜黄晓明饰演的汉武帝，每次镜头一结束，黄晓明就会急匆匆地走上前去扶起王刚，一副过意不去的样子。王刚在接收媒体采访时曾多次夸赞黄晓明："谦恭懂礼，技艺精湛。"

拍摄武戏时会跟武行们有身体接触，每拍完一组镜头，黄晓明就会主动上前询问对方有没有事，自己下手是不是太重了，有哪些需要改进的地方……直说得对方难为情起来。

面对要与他合影的游客，黄晓明总会笑脸迎人，予以满足。有时，他实在太累了，助手会替他挡驾，他却说："没关系，让我和他们拍吧！"至于别人递上来的物品、送来的小礼物，他推脱不掉不得不收时，会不停地说"谢谢"。

2012年电影《大上海》开拍，周润发和黄晓明两代许文强首次合作。当他们成为外界关注的焦点时，黄晓明心中不禁暗喜：拍摄《新上海滩》时没能拜成师，这次一定要想方设法了了这桩心愿。于是就有人为黄晓明传了话。周润发说："拜师？我拜他为师吧。在内地，他教我学普通话。"黄晓明暗自焦虑，以为这次又没戏了。导演也和他开起了玩笑："你也别学周润发了，学刘德华嘛。周润发没有刘德华好看……"

见黄晓明诚心诚意要拜发哥为师，周围的人也都想成全他，最后，发哥觉得这件事是"众怒难犯"，而且黄晓明要拜他为师已经五年多了，就是铁石心肠也该被软化了，也就不好再推辞了。

许多人为他们筹办仪式现场，电影公司特意为周润发和黄晓明设下了拜师香堂。"很紧张呀，怕他不收我。"黄晓明一出场，就告诉别人他这师父来之不易。

"恭迎黄老师！"手拿"龙头棍"的发哥笑着颔首，一副谦恭之态。随即活动现场香雾缭绕，在刘伟强、王晶、文隽、洪金宝、吴镇宇等人的见证下，黄晓明单膝下跪，向坐在木椅上的周润发递上拜师帖和致敬信。发哥在接过拜师帖后，将"龙头棍"交予黄晓明："你拿了龙头棍，你就是老大了，你坐，黄老师……"直率爽朗的发哥随即起身让座，并对黄晓明说，"呵呵，我是你小弟呀。"黄晓明"诚惶诚恐"地回应："师父师父，你快坐呀！"

好一幕调侃戏谑、和谐轻松、其乐融融的拜师场景。

拜师礼结束后，黄晓明被媒体问及感受，他乐呵呵地说："我……以后都有人罩了。"不过发哥却在一旁大呼："他都这么大人了，我怎么还罩得了……"现场再次发出阵阵笑声。

"到底想从周润发身上学习到什么？"记者问。黄晓明直言："特别想和他学两样东西——一个是表演，他演真的是太帅了；还有一样就是吃，发哥真的好会吃，每次都能找到很多不同的美食。"

此时发哥不能不教点真东西了，在收起笑容后，说："他就是太紧张了，轻松一点就可以了。我让他潇洒一点，不能太酷，装点傻。"这样的话可谓一语中的。发哥还说，"觉得黄老师很有机会去竞争一些男主角的奖项。"黄晓明明白，师父前面一句话是对他演戏过程的指点，后一句话则是鼓励他不断向新的高度迈进。

拜高人为师，自己必须要有实力，谁又愿意收一个"银样蜡枪头"来损坏自己的名声呢！而一个有相当实力的人，却依然拜师，让人看到的除了他的谦虚，还是谦虚。

📽 《大汉天子》，一举成为"优质大汉"

2001 年，黄晓明在北影的班主任崔新琴老师接到《大汉天子》剧组的电话，请陈坤主演汉武帝刘彻。崔老师说："陈坤没有档期，我再给你推荐一个人吧，黄晓明。"对方不放心地问："他怎么样？"崔老师说："不错的。"

黄晓明虽然接了《大汉天子》，但依然有太多的人对他不了解，特别是新闻界。在新闻发布会上，所有的记者几乎都把目光投到了大配角陈道明等人身上，根本没人向黄晓明提问。如此遭遇冷落，黄晓明早已习惯。

历史上的汉武帝不好当，而剧中的刘彻也不好演。为了演好汉武帝，喜欢读书的黄晓明一头扎进书本中，废寝忘食地读剧本，还研读了许多相关古籍，渐渐地形成了黄晓明式的汉武帝形象。

黄晓明认为，刘彻经历了三个阶段：一个是少年时期，"少年听雨歌楼上，红烛昏罗帐"，如同现在的一些大学生，可爱有余而阅历不足；一个是青年时代，"如欲平治天下，当今之世，舍我其谁也"，就像时下那些有抱负的年轻人，踌躇满志，志在必得；接着进入中年时代，这时大约想起了他的老前辈刘邦，"大风起兮云飞扬，威加海内兮归故乡，安得猛士兮守四方"，作为一国之君，开始思考该如何面对自己的百姓、如何对待自己的开国元勋、如何网罗天下人才，思想上发生了很大变化。

有了这样一个对角色的递进式剖析，表演起来就可做到层次分明：从一个原来不识愁滋味、纯真、热情、被人拥着、爱着的太子，到登上皇位，面对明争暗斗、错综复杂的人事关系；从手足无措到不断成熟、判断准确、处事果决；最后变成了热衷权谋、纵横捭阖、挥洒自如的刘彻。

　　黄晓明把汉武帝的成长心路演绎得准确又传神、可爱又威严、率真又无奈、儿女情长又心狠手辣……塑造了一个血肉丰满立体的汉武帝。接着，《大汉天子》在京城的热播，使得"武帝"黄晓明深入人心。

　　这块美丽的木头，终于被打磨得璀璨夺目了。

有一种蓝颜知己叫黄晓明

做不成恋人也要做朋友

"世界上最遥远的距离，莫过于赵薇成了黄太太，丈夫却不是黄晓明。但他们有着世上最好的友情：我拄着拐杖也要来支持你，我扔掉拐杖也要拥抱你！这源于一种叫作初恋的爱：不管你做什么，他都会用宠爱的眼神看着你；不管他身体怎么样，他都会把你的事放在第一；不管过了多少年，他都会将你的生日牢记心间。"网友们这样说。

黄晓明对大学生活充满好奇与期待。在学生报到处，他看到一个女孩——穿着黑西装，长长的头发很飘逸，背影看上去很洒脱。当她一转头，大大的眼睛，特别梦幻。

"很美，天仙也不过如此了。"黄晓明当时这样想。很快，他就知道了这个女生的名字——赵薇。更让他高兴的是，赵薇竟然和他同一个班。看第一眼，他就喜欢上了赵薇，当然希望两人能走得更近一些。

一次，班级上朗诵课，黄晓明一改过去做什么事都往后缩、连排小品都脸红的常态，自告奋勇地上台朗诵。"说是急忙的秋的情愁，说是辽远的海的相思，假如有人问我的烦忧，我不敢说出你的名字……"这是戴望舒的《烦忧》，他是想借此表达对赵薇爱慕的心意，因此在朗诵时一直看着赵薇。他的青岛方言，他的拿腔拿调，把台下的同学逗得乐不可支，一个个前仰后合，赵薇也不例外。

下课后，黄晓明拿出极大勇气问赵薇："你听得懂那首诗的意思吗？"赵薇反问道："你朗诵的诗，难道自己不明白其中的含义？"没想到赵薇竟然是如此不解风情，他不知道该说什么了。其实，赵薇在报到的那一天，就发现黄晓明在关注她。她觉得黄晓明长得帅，但年龄小，她就把他定为小弟弟的角色。

黄晓明谨小慎微，一直就是"乖孩子"，而赵薇活泼外向、大大咧咧，这让他十分羡慕，也十分着迷。大三的一天，赵薇请班上的同学到学校旁的一家小餐馆吃饭，大家一起喝了一些啤酒。在回家的路上，黄晓明和赵薇走在一起。他想，这是向她表白的最好机会。于是，他拉着赵薇的手，说："赵薇，我喜欢你，你能做我的女朋友吗？"他认为赵薇能在他的性格上帮助他，赵薇却认为他们俩性格差异太大，不可能成为一家人。听了黄晓明的表白，赵薇笑着推了他一把，说："你胡说八道什么啊！我们这样不是挺好吗？"

从那以后，黄晓明再也不和赵薇提那晚的事了，像什么都没发生一样。他相信赵薇的话。不是吗？眼前的关系也确实不错啊！

检讨也可写成如花美文

除了不能成为恋人，黄晓明和赵薇完全可以称得上天底下最好的异性朋友。赵薇在学校里属于大错不犯、小错不断的类型，经常迟到早退。班主任对此十分头疼，三天两头要赵薇写检讨，而这写检讨恰恰又是赵薇最不愿意做的事。不愿意也得交啊，赵薇只好求助黄晓明。黄晓明读书时，语文成绩一向很好，他能静下心来，字斟句酌，将检讨写成一篇篇美文。

他为她代笔的东西还有很多。大三下学期，琼瑶找上赵薇，让她饰演《还珠格格》中的小燕子，这一去就是半年。在此期间，黄晓明准备了两本课堂笔记，自己一份，赵薇一份。每天上完课后，别人都在玩耍聊天，他却躲在一边，静静地为赵薇整理笔记。

大大咧咧的赵薇在演艺路上也曾经历风波，他也为她劳心费力，使之风平浪静。就在赵薇红遍大江南北的时候，"军旗装"事件让她受到公众的声讨，甚至有人要求封杀她。在她最需要的时候，他出现了。"晓明，你是我最信赖的朋友，这次我真不知道该怎么办？"看着赵薇日益憔悴的脸，黄晓明十分心疼。此后，他帮助赵薇草拟了一系列危机公关方案，其主要内容是，让她在全国公众面前公开道歉。除此之外，赵薇还参加了很多公益活动。一颗真诚的心，终于让观众们原谅了她。

虽然成不了恋人，黄晓明却以一颗坦荡的心帮助赵薇找到了心上人。赵薇的感情生活一度很不顺。每次在她感情最受伤的时候，黄晓明都能出面为她疗伤。然而，快到三十岁了，感情依然没有依托，赵薇想起黄晓明的好。一天，她对他说："如果到了三十岁，我们俩还单着，那咱们俩就结婚吧！"黄晓明觉得，如果真是这样，也是人生一大幸福。

拄双拐与赵薇相聚《鲁豫有约》

他们最终也没走到一起，赵薇嫁给了祖籍武汉的新加坡富商黄有龙。生下女儿后，赵薇身体还没完全恢复就筹划着复出，身边的人几乎都不支持。黄晓明却说："我最了解你，只要是你想做的事，如果不让你做，估计你会疯的，你就大胆去做吧！"在赵薇拍摄电影《致我们终将逝去的青春》时，黄晓明表示要全力支持："有任何需要的地方，尽管给我打电话。"

影片拍摄到后期，原先拉来的投资已全部花完，因为这是赵薇导演的第一部电影，别人对她的作品不太有信心，新的投资一时也拉不来。于是，赵薇给黄晓明打了电话。黄晓明对她说："我对你有信心，就给我一个发财的机会吧！"他的信任与支持让她很感动。

《致我们终将逝去的青春》于 2013 年 4 月 26 日在全国公映。3 月 12 日，赵薇携剧组主创人员做客《鲁豫有约》。黄晓明现场惊喜亮相，让赵薇开心不已。他在拍摄《白发魔女传之明月天国》时脚趾意外骨折，是拄着双拐来的。因为 3 月 12 日是赵薇的生日，黄晓明在来之前特意精心准备了一个大蛋糕。谁知道因为蛋糕太重，工作人员拎的时候不小心把它摔烂了。黄晓明特意把蛋糕师傅请到现场，临时对蛋糕进行补救。所以，最后大家看到的那款蛋糕上的小人，原本有五个，最后剩了四个。

开始时赵薇还以为蛋糕是粉丝替自己准备的，黄晓明在一边说："是啊，我就是你的粉丝和影迷。"赵薇这才知道蛋糕是黄晓明特意为她定做的，非常感动。蛋糕中间的女孩是赵薇，黄晓明说："那双标志性的大眼睛全世界也比不上。"赵薇刚高兴地舔了一口奶油，黄晓明就把自己的茶杯递到她嘴边。赵薇呷了一口说："晓明特别好，内外兼备，我太后悔了。"她所说的后悔是十六年前在大学时不该拒绝他。

节目即将结束时，现场有粉丝喊"抱抱"，黄晓明当时就把双拐扔给旁边的人，然后打横抱起赵薇，这个姿势被大家称为"公主抱"。现场的粉丝们激动得都大声喊了起来，黄晓明放下赵薇，说："事实证明她还是很轻的。"赵薇接话："事实证明你就是装残废。"

黄晓明语录

66 我的身上有一点点男人的霸气，也会有点男孩的可爱。 99

坚持梦想的"土鳖"

努力，然后坦然放下

黄晓明被誉为"内地第一小生"。然而，他也开始具有"娱乐性"，比如他的身高，比如他的英语能力。网友截取他演唱英文歌曲时不甚标准的发音，"闹太套（Not at all）"一时成了网络流行词语和他的绰号，同时爆米花、可乐、二、土鳖，也会在黑幕时冷不丁地蹦出来；又如《叶问2》和《唐伯虎点秋香2》，票房赢得漂亮，但是身为主演的黄晓明却被众人冠上了"二当家"的称号，不少观众纷纷表示其演技有点"二"。

这些让他纠结过，也自我怀疑过。后来，他想明白了——只要努力，一切都可以改变，"你说我英语烂，那我就从头学起"。而从头学起，就是要敢于面对现实，承认自己的差距。有人认为他是"偶像派"，这也让他纠结了很久。想明白后的他说："有什么好纠结的，放开就是了。"

有一件事，让人们看到了黄晓明又一次真正的升华和蜕变。

2011年，"凡客体"突然走红，黄晓明成了凡客体的"红人"，网友们几乎每天都会拿他说事，他成了被网友们恶搞得最厉害的明星。凡客独具慧眼，从他的"人气"中看到了商机，想趁机签下黄晓明作为代言人。开始时，凡客本来只是抱着试探的心态和他说，没想到，黄晓明不仅一口答应了，在广告词中还痛痛快快地说："没错，我不是演技派。"甚至他还极具自嘲地加上了一句"Not at all"。

黄晓明的"坦然"与"自揭伤疤",使他不仅没被进一步恶搞和调侃,反倒成了励志明星。

自此,黄晓明变得轻松起来:"是的,我没有什么特别的天赋,IQ 不高,说起来,就是个普通到不能再普通的人。但父母把我教成了一个善良好学的人,努力就是我的才能。"他还明白,放开就是以最真实的自我示人。"我觉得没有必要那么完美,有时候不完美,反而是一种完美。"因此,他就是要拍出"又土又二"的形象。无论是《赵氏孤儿》里的刀疤男,《春娇与志明》里"本"的傻兮兮,还是《血滴子》里"狼人"的胡子拉碴、"不疯魔,不成活",黄晓明给自己的形象"抹黑"都很成功。

从他参演《中国合伙人》可以看出,黄晓明有着"将'二'、给自己'抹黑'进行到底"的决心。《中国合伙人》开拍前演员试镜,陈可辛导演最先想到的是让他来出演帅气海归男"孟晓骏",却被他一口回绝了。最终,他选择饰演成冬青——厚厚的近视眼镜,满是尘灰的肥大裤子提到胸口,裤管一边还要时不时地卷上来一些。如此角色混在场工中,连导演都认不出来。

> **黄晓明语录**
>
> 66 我觉得有时候"二"一点,挺好的,它是一种境界,比时时刻刻要去表现自己很精明好多了,一个人自信了才会跟别人去调侃自己。 99

说起给自己饰演的成冬青扮丑的经历,黄晓明乐在其中。"我扮丑来争取这个'又土又二'的角色原因很简单,因为我就是'土鳖'成冬青,成冬青就是黄晓明,我想为土鳖'带盐'。"婚宴那场哭戏是自然流露,他分不清楚自己是成冬青还是黄晓明,只是由着性子去演,眼泪一下子就绷不住了。心不设防的观众,在如此真诚、富于感染力的表演面前,惊喜地发现了黄晓明的蜕变。在"成冬青"的身上,人们完成了一个从打量"偶像黄晓明"到品味"演员黄晓明"的认识过程。由此,他也成了"全民致

青春"热潮中的又一标杆式人物。

以前的黄晓明，遇到困难对家里总是报喜不报忧，有什么苦楚永远是打碎牙齿自己吞下，扛着走。如今的他经历得越多越懂得放下，年轻时候就是太把自己当回事了，所以放不下。这些年经历了太多的非议与困顿，他才意识到，自己眼中的自己优点更多，他人眼中的自己不尽完美，却也是自己，坦然接受才能变得更好，所以要放下。"某一天，我发现自己忽然就放开了，正能量特别强大。其实人生没有什么完全的对和完全的不对，只是看如何去选择。失败是应该的，成功才是靠努力得来的。"看来，他是真的释然了。

他的忧伤和低落一扫而空，取而代之的是活泼和自在；他由追问"我没做错什么，为什么会这样"，变成"谁欺负我的家人和朋友，我会毫不留情地反击"；他由努力向外界证明自己除了帅还有演技，变成不时地自嘲"烂演技"；他说，他努力展示阳光帅气的一面，后来他坦言"我心里有很扭曲的一面"……

天蝎座的黄晓明在阳光的、温和的一面之外，还给人一种狂野、桀骜不驯的印象，即"狼性"的一面。他认为，比如说喜欢玩枪，就是"狼性"最直接的表现。以前拍《鹿鼎记》时需要用到枪，他就没日没夜地和人一起去练靶。导演说够了，不用这么个练法，反正用枪的镜头也没那么多，但他还是一直练、一直练，因为他很喜欢那种一击即中的感觉。"狼性"还表现在他很爱吃。《匹夫》里有个镜头需要"大当家"大口吃肉，实拍的时候，他在很短的时间内一口气吃了整整两只羊腿，有人说他当时就像狼在啃小羊一样。

"冷面热情热血，
有人就有江湖，什么因结什么果。
大口喝吧，大声吆喝吧！

黄晓明

洋溢着真诚快乐的"黄木头"

我们还活着，那又如何？

匹夫就是我，为争口气而活……"

黄晓明为自己主演的新片《匹夫》所唱的主题曲，也许正好彰显了他"放下"后的心态。

人生要多做备份

放开是心态，谨慎是方法，但放开、展示自己的"狼性"并非浮躁。

黄晓明说自己天性中就有谨慎的一面，放开就意味着毫无保留地发挥这种天性，不怕一万，只怕万一。他曾让助手帮他把所有该备份的资料都存入电脑、移动硬盘及 N 部手机中，至少一式三份。"我常常告诉他们，想成功吗？想成功就要做点防备。成功就是当机会来临时，你已经做好了准备，并能及时把握住。"

为了做到有备无患，黄晓明随身携带的皮包重量至少在十五斤以上，里面备有各种银行卡、创可贴、签字笔、笔记本、手机及配套的直充和座充等零碎物品。出门在外，只要能想到的东西，他几乎都能从包里掏出来，比任何一个工作人员想得都周全。

为明天做好准备

2011 年，黄晓明几乎在银幕上消失了，但事实上，那年的 365 天里，他差不多拍了 360 天的戏。2012 年到 2013 年春，他先后有七部电影、电视剧上档，打头阵的《匹夫》是新晋导演杨树鹏的作品，黄晓明不仅是主演，还是投资人。

从一开始，黄晓明就认定这部电影的弱点是不够商业，但又觉得它"非常年轻，非常凌

> **黄晓明语录**
>
> 在求新求变的过程中，我始终坚持的一点就是，尊重自己内心的感觉，不要随波逐流。我始终相信，一件漂亮的衣服会过时，一种执着于细节的态度将永远精彩。

厉"："你可以说《匹夫》不成功，但它确实很有个性。作为一名年轻导演，杨树鹏的方向是正确的，走在通往正确道路的过程中。"和近年开始收藏年轻艺术家画作的思路一样，黄晓明认为，投资年轻就是投资未来。

2010年离开华谊兄弟传媒后，黄晓明成立了自己的工作室。工作室规模并不大，总共十几个人而已，但从他的运营团队可以看出"投资年轻"的取向——员工基本是80后，不乏90后。经纪人黄斌出生于1981年，比他还小四岁。

黄晓明有一个理念：投资的项目不该单单只冲着钱去，多少还应该带有一点情怀——扶持年轻的创业者。一开始可能得不到好处，但只要一步步来，也许在某个时候，就会显出应有的力量。

他把员工当成家人来看待：除了让他们享受高于行业平均水平的待遇外，每个人在生日时都会收到特别礼物，年底有上万元的大红包，有的人还能得到汽车，员工过年返家探亲的机票也全由黄晓明掏腰包，连员工的父母也会得到额外的红包。他认为这些是他必须去做的。

黄晓明的努力，以及他的情怀，很快就给他带来了丰厚的回报。早年小试牛刀投资《暗香》时，当时的大老板曾语重心长地劝过黄晓明："你可以投资，可以有想法，但别管钱。"因为当时的大老板知道他不懂得精打细算。然而，从创办工作室以来，尽管也有投资失败的项目，但他的收入依然相当丰厚。如今的他已是身家过亿。

无论他怎样给自己"抹黑"，怎样展示"狼性"，骨子里的善良都不会变。正如他自己所说："我不再介意别人怎么评论我，但如果听到有人说，黄晓明十几年来真的没变过，他之前不是装的，我仍然觉得这是最好的评价。我的信仰就是执着，我没有被这个世界乱七八糟的东西所改变。"

黄晓明是家里的长子长孙，他有七个表弟、五个表姐表妹。他从小被家里灌输的思想是，当哥哥的要做个好榜样。他的弟弟犯了错误，爸爸妈妈就会来对他说："你要跟弟弟说，要听话，他们只听你的，不听我们的。"弟妹们也认

黄晓明
洋溢着真诚快乐的"黄木头"

黄晓明语录

66 演员的外形在演艺路上只会占到三成的作用，成功更需要多靠的是自身的努力。 99

为他是家里的顶梁柱，能让他们过上好日子。

黄晓明说："所以今天我成功了，我会帮弟弟们的，包括他们结婚、生孩子，连孩子取名字也会管。从另一种意义来说，我其实像他们的爸爸一样。这两年饰演了不同类型的角色，也不是为了崇高的理想什么的，不为别的，还是那句话，为争一口气。《匹夫》这个角色挺像我生活中的另外一面。我生活中的另外一面很简单——只是为了养活我的爸爸妈妈，只是希望他们、我的朋友还有喜欢我的粉丝们开心而已。再次，就是为了我的员工争口气，他们的老板没有给他们丢脸，让他们活得很好。这样就够了。"

"孝顺，忠诚，勤奋，有责任感，越挫越勇"，黄晓明输出的这样一种价值观，不仅可以让他成为一个成功的艺人，更可以成为"黄晓明"品牌的核心基础。

每个人都以自己的角度在影响着世界的运转，当一个人成为某一个行业的佼佼者的时候，他就已经有意或无意地在改变这个世界了。相信有了品牌核心基础又不断努力的黄晓明，一定会在生活和事业上有更多更好的表现。

李云迪

─ 举起苍茫的手指，收割天空和光芒 ─

李云迪是首位与世界最大的古典音乐公司 Deutsche Grammophon 签约的中国钢琴家，是首位与柏林爱乐乐团发行现场录音的中国钢琴家，更是首位获得波兰"荣耀艺术"文化勋章的中国人，以及全球第一本肖邦护照的持有者。古典乐评界称赞他的演奏独树一帜，优雅高贵又极富诗意，堪称当代最浪漫、最诗意的国际钢琴大师。他还被国际媒体誉为"钢琴王子""钢琴诗人""中国的肖邦"。

钟劼霓 / 摄

1982年10月7日，出生在重庆市大渡口区。出生证上曾用的名字译布熙。3岁正式名字布熙改为李云迪。

1986年，进入了重庆市少年官手风琴班，师从谭健明老师。

1987年3月，参加四川省少儿手风琴比赛，凭借《花儿与少年》夺得人生中的第一个第一名。

1991年，师从但昭义。

2015年1月3日，携钢琴大碟《王者幻想》回到成都，开启新年交响音乐会篇章。

1989年，开始学习钢琴。

2014年3月，专辑《王者幻想》全球发行。10月，波兰当地时间，波兰文化和国家遗产部官网发布"第十七届肖邦国际钢琴比赛"的信息，李云迪当选为大赛评委，也成为肖邦大赛历史上最年轻的肖邦评委。

2011年3月，《李云迪北京现场独奏会》全球发行；应剑桥大学之约，作为首位受邀的华人钢琴艺术家在剑桥大学举办大师课。

2012年2月，《红色钢琴》全球发行；在香港举办保良局李云迪学童慈善交流演奏会，被委任为保良局爱心大使；9月，新专辑《贝多芬：悲怆·月光·热情》全球发行。

2013年3月，专辑《贝多芬：悲怆·月光·热情》全球发行；4月，精选集《THE ART OF YUNDI》（中文版名《经典·云迪》）亚洲首发。11月27日晚间23点，在微博公布恋情。

2010年1月，签约EMI唱片公司。4月，发行《肖邦夜曲全集》。5月，举办肖邦诞辰200周年中国纪念晚会暨李云迪授勋钢琴演奏会，接受由波兰共和国文化与民族遗产部长授予的代表波兰至高荣誉的"荣耀艺术"文化勋章，成为获此荣誉的首位中国人。参加国务院新闻办公室发起并制作的《中国国家形象宣传片——人物篇》的拍摄。

2009年底，成为DG唱片公司纪念肖邦诞辰200周年推出的《肖邦作品全集》（17CD套）装帧中唯一入选的华人钢琴家。

2008年3月，被委任为"中日青少年友好交流大使"形象大使；李云迪的蜡像正式落户上海杜莎夫人蜡像馆，成为首位进驻该蜡像馆的中国钢琴家。1月，当选重庆市青年联合会特邀副主席。

LIYUNDI

李云迪
大事年表

1994 年，参加"华普杯"全国少儿钢琴比赛获得第一名；考入四川音乐学院附中。

1995 年，获选参加美国斯特拉文斯基国际钢琴比赛，获得第三名；随但昭文教授转入深圳艺术学校；受邀参加深圳少儿艺术团，首次赴欧洲巡演。

1997 年，获得第一届中国钢琴作品（香港）比赛最高组《黄河协奏曲》组第一名。

1999 年3月，赴荷兰参加第五届李斯特国际钢琴比赛，决赛中演奏根据莫扎特歌剧《唐璜》改编的钢琴曲《唐璜的回忆》，获第三名；12月，参加在北京举办的第一届中国国际钢琴比赛，夺得第三名。

2001 年3月，在柴可夫斯基音乐厅、肖斯塔科维奇音乐厅、冬宫音乐厅（第一位在此演出的华人）与俄罗斯国家交响乐团、圣比得堡室内乐团合作演出。4月，正式签约全世界最大的古典音乐公司Deutsche Grammophon，成为首位与该公司签约的中国钢琴家。9月，留学德国汉诺威音乐和戏剧学院。

2002 年3月，作为唯一的特邀嘉宾出席在波兰首都华沙举行的国际肖邦基金会年度颁奖仪式。12月，第二张CD《李斯特钢琴精选集》全球发行。

2003 年6月，应邀在美国卡内基音乐厅参加庆祝施坦威钢琴150周年音乐会演出，接受施坦威总裁Bruce Stevens授予的施坦威艺术家纪念章。12月，全新CD《安可集》全球发行。

2004 年1月，推出自传式精选集《Portrait》；5月，个人首张DVD《李云迪巴登独奏会》全球发行；9月，发行《肖邦谐谑曲与即兴曲》；12月，被聘请为首都师范大学音乐学院客座教授。

2005 年1月，参加但昭义国际获奖学生为海啸灾区捐赠义演。7月，首次与小泽征尔合作格里格钢琴协奏曲，在日本横滨举行音乐会。9月，应《华尔街日报》邀请做封面人物故事的专访，成为出现在财经报刊上的第一位中国艺术家。当选中华全国青年联合会第十届委员。

2007 年2月，推出《肖邦李斯特第一钢琴协奏曲》，在柏林爱乐乐团，借同指挥大师小泽征尔联袂柏林爱乐大厅合作演出普罗柯菲耶夫第二钢琴协奏曲。6月，应香港特首曾荫权邀请，庆祝香港回归十周年，在礼宾府为中国国家主席胡锦涛演奏。9月，获选日本杂志《FLASH》的85位未来中国代表人物。10月，被香港演艺学院委任为到访院士，并获选"回归十载风云人物"。"影响世界"获"中国十大青年领袖"称号；出任"全国五四青年大使"；出任深圳义工形象大使。

在音乐的田野上努力奔跑

🎤 手风琴开启梦想之路

　　生命在于运动，成功在于坚持。1982 年 10 月 7 日，李云迪出生在重庆大渡口区一个普通工人家里。父亲李川在重庆一家钢铁公司工作，母亲张小鲁在十八冶金公司实验室工作。李云迪出生证上使用的名字是李希，五岁时正式改名为李云迪。

　　有人说，重庆山环水抱、钟灵毓秀、常年云雾缭绕，也就能滋润出美妙的歌喉。可不是，小时候，李云迪就对音乐极为敏感。两三岁时，他最爱去奶奶家了，因为奶奶有一台收音机。在他幼小的心灵里，那是一个极为神奇的匣子，里面有人唱歌。奶奶要是不提醒的话，他听起歌来就会忘了肚子饿，也听不到外面孩子们玩耍时的呼喊声和嬉笑声。

　　那天，小云迪又去了奶奶家。收音机里飘荡起悠扬婉转的歌声，他听得入了神。后来才知道那是朱明瑛的《回娘家》。收音机里的歌唱完了，开始播放其他节目。尽管小云迪不懂《回娘家》的歌词，但这并不妨碍他哼唱歌中的旋律，他唱得有板有眼，惟妙惟肖，直让奶奶乐得合不拢嘴。

　　晚上，张小鲁去接儿子时，奶奶连连夸孙子聪明。奶奶高兴地说着，张小鲁心中不禁一动：既然儿子喜欢音乐，可以有意识地培养他呀。其实，张小鲁年轻时学过芭蕾舞，曾在《红色娘子军》中担纲女主角，也算辉煌过，虽然种种原因让她放弃了跳舞，但对音乐的兴趣成了她对舞蹈之爱的延续。怀着李云迪时，张小鲁在家里最爱听的就是小提琴协奏曲《梁祝》等曲目。后来她意识到，于有意无意之间，听音乐成了对儿子最好的胎教。儿子既然喜欢音乐，应该顺势而为，让他学唱歌，早早认识一些乐器。

几天后，张小鲁休息，便带着李云迪去逛商店。他们来到乐器柜，那儿摆着各种各样的乐器，小云迪觉得挺新奇的，走到一种乐器前盯着看。妈妈告诉他那是手风琴。营业员阿姨走过来，拿起手风琴演奏起来。李云迪一双黑葡萄似的眼睛一下子瞪得好大：就这么一样东西，竟能发出这般神奇好听的声音！他想起来了，在收音机里听歌时，也有这样的伴奏音。小云迪如同走进了百宝房，一会儿看看这个，一会儿看看那个。妈妈告诉他，这是二胡、琵琶，那是古筝、扬琴……

李云迪还是回到了手风琴前，对妈妈说："妈妈，你能给我买一个吗？"妈妈带他来这儿，只是想让儿子开开眼界，了解音乐殿堂里还有许多新奇灵异的东西；再说，儿子太小，哪里会玩这些东西，而且家里的收入也实在不高，这些宝贝又是那么贵重，她不能给儿子买。

于是张小鲁哄儿子说："这些东西可以看，但是不可以拿走，商店现在不卖！"李云迪充满童真地说："妈妈，这东西太好玩了！那商店什么时候卖呀？"妈妈说："等有卖的时候，妈妈一定给你买！"李云迪十分高兴："妈妈，那好，我们不买，我只是想再看看。"他看了好半天仍然不想走，在妈妈的催促下，才恋恋不舍地离开。

从那以后，他总缠着妈妈去乐器柜，一去就要待上很久。后来妈妈跟爸爸说起了这件事，爸爸说："就是再困难，也要满足孩子的愿望。再说，你不是一直认为儿子有音乐的天赋和潜能吗，为什么不能让他早点接触音乐呢？"

李云迪四岁生日那天是一个晴朗的日子，阳光明媚，金风送爽，山城还披着节日的盛装，人们依然沉浸在国庆节的欢乐之中。妈妈满脸是灿烂的笑容，对儿子说："你闭上眼睛，看妈妈给你买了什么礼物！"当李云迪睁开眼睛时，一下子兴奋得手舞足蹈起来，就如同一串串欢快的音符在阳光下跳跃着。

原来，乐器柜中自己一直眼巴巴想要的手风琴正握在妈妈手中，在阳光下闪烁着美丽的光芒。他知道这把手风琴需要54块钱，妈妈一个多月的工资还没有这么多。从此，他幼小的心田里种下了一粒种子：要得到一件东西是不容易的，需要艰苦付出。自己喜爱音乐，要练好手风琴，也需要付出努力，不能因为贪玩而浪费掉一点一滴的时间。

第二天，正是国庆节后重庆少年宫新班开课的日子，李云迪让妈妈带他去。李云迪进的是谭健民老师的班。谭老师非常和蔼，小云迪一点儿也不拘谨，很快就和小朋友们打成一团，接下来就是抓紧时间把琴练好。

艰辛的日子就此开始了。从家到少年宫，一趟就要两个小时，要转三趟车，母子俩清晨五点半钟起床，六点钟出发，风雨无阻地在八点前赶到教室。班里，李云迪年龄最小，个儿也不高，学琴的时候只能坐在妈妈的腿上。

李云迪的天赋及勤奋，让谭老师非常喜欢，有什么活动的时候，谭老师也总是特意把他带在身边。很快，李云迪的演奏水平比其他孩子高出了许多。

1987年，谭老师带班上的学生参加重庆市里的比赛。当时有好多人参赛，台下观众席上黑压压的，妈妈问小云迪："紧张吗？"得到的回答是："有什么好紧张的，不就和家里练琴一样吗？"妈妈笑着点了点头。

李云迪的参赛曲目是《花儿与少年》。演奏时，他既沉稳专注又轻松自如：只见他紧抿着小嘴巴，眼睛盯着键盘，两条小腿挂在椅子下面，手指在键盘上翻飞着。他觉得在场的人都是他的好朋友，越弹越自在从容。就这样，五岁的李云迪远远领先于比他大了许多的孩子，获得重庆市少儿手风琴比赛第一名。此后，谭老师也更加喜欢他。之后，李云迪又获得四川省少儿手风琴比赛第一名。

李云迪作为手风琴的少年新星，冉冉升起在音乐的天空，谭老师对他满怀着期待。然而，李云迪却要告别他喜欢和爱戴的谭老师，告别手风琴。

那是李云迪七岁时，夏日的一天，他对妈妈说："妈妈，有没有不要抱着演奏的琴？"原来，那年夏天重庆的天气特别热，坐在家里热汗都会涔涔地往下淌。晚上，李云迪一家人吃饭，他不像以往那样坐着，而是跪在凳子上，

李云迪语录

66 "天才也是通过刻苦勤奋得来的，有天分没有刻苦追求，同样不会有任何成绩。" 99

李云迪 举起苍茫的手指，收割天空和光芒

皱着眉，一口一口地往嘴里送着饭菜。妈妈感到奇怪，便问他："哎，迪迪，我说你怎么不坐呀？"儿子回答道："我不坐，坐着太累了。"妈妈知道儿子练琴整天坐着，已经不愿坐了，又问："那你弄那么高干什么呀？"

李云迪也清楚跪在椅子上吃饭没有礼貌，但他就是不能坐着。在妈妈的再三追问下，他终于说出原因："妈妈，不行，我的屁股太疼了！"妈妈一听，一边着急地问"怎么啦"，一边赶紧扒开儿子的裤子看。这一看，不禁吃了一惊，只见李云迪的屁股上两大片红红的水泡，几乎就要溃烂了！

小云迪当时个子矮、力气小，抱着于他来说十分沉重的手风琴，实在太吃力了。平时还没有什么，天气太热时，汗水浸湿了凳子、裤子，他仍然坚持练琴，不注意休息，屁股就起泡了。

什么琴不用抱着拉呢？张小鲁以前跳芭蕾舞时，有钢琴伴奏，于是她很快就想到了钢琴。经过一番深思熟虑后，那天她陪着儿子上完手风琴课，便来到谭老师身边说："谭老师，这些年真是太辛苦您了！今天我是来向您道歉的，迪迪不想学手风琴了，打算去学习钢琴。"

谭老师一听，还以为自己听错了，非常吃惊地说："李云迪的手风琴拉得是那么好，不学真是太可惜了。"当谭老师听张小鲁说孩子小抱不动手风琴时，这位本来就非常开明、富有眼光的老师说："如果孩子特别喜欢音乐，今后真的搞音乐的话，学钢琴才是最好的，钢琴的舞台和发展空间更大。"尽管谭老师对这个得意弟子万分不舍，但出于对孩子的爱，还是同意李云迪转学钢琴。

接下来，该是妈妈克服困难为李云迪买钢琴了。钢琴是一个大家什，好多家庭根本买不起。但为了让儿子不至于屁股再起泡，也为了让他实现自己的梦想，即使再难，张小鲁也要去买。她从云迪爷爷奶奶那里拿来一些钱，不够，又向亲戚朋友借，东拼西凑地终于筹足了5000块钱，买下了一架钢琴。

艰难困苦，玉汝于成。对有梦的孩子来说，贫困可以化作最坚实的羽翼。那时，李云迪尚不懂得学钢琴是自己通往艺术殿堂的一扇门，但他知道，父母不惜为他借钱买钢琴，就一定要格外珍惜这来之不易的机会，这钢琴就如同父母为自己安上了飞翔的翅膀，自己就应该振翅而飞，高鸣着飞向自己最向往的音乐蓝天！

🎤 激将法战胜惺忪睡眼

李云迪练钢琴比以前练手风琴更为刻苦，但他毕竟是个孩子，而爱玩是孩子的天性，因而他也会因为玩而忘了时间。

一次，老师布置了练习曲目，但到十点多钟要睡觉时，还是会有错音出现；又不能练到深夜，因为这样会影响第二天的学习。这让李云迪很郁闷。妈妈看出了儿子心中的纠结，说："我们来梳理一下。今天回来，吃完晚饭后，你做了半小时的其他作业，又预习了明天的功课，还看了将近一个小时的动画片，而这太长时间地看动画片，就是你练琴不理想的原因。"妈妈的话让他感到很后悔。为了约束自己，确保练琴时间，李云迪和妈妈商量后，制订了严格的"规章制度"。

首先就是精确、紧凑的作息时间安排表：早上七点整，妈妈叫云迪起床，然后洗漱吃早餐；七点半送云迪去学校；中午十二点，保证让云迪放学到家就能吃上午饭，饭后午休；下午四点半放学，云迪要在学校用一个小时的时间把作业完成，五点半自己回家；六点钟，妈妈一定要保证准时开饭；六点半到七点是他的自由时间，可以在这段时间看看动画片什么的；七点整《新闻联播》一开始，李云迪必须坐到钢琴前，练习两到三个小时；十一点必须准时上床睡觉。

"猛志逸四海，骞翮思远翥。"一个有远大理想的人，在少年时代就会满怀豪情壮志，努力超越，就像苍鹰不断地扇动翅膀，向着高空飞去。合理科学的制度，加上严格自觉的执行，李云迪这只傲视苍穹的鹰，展翅冲破云层，达到了令人惊讶的高度。

在重庆市少年宫钢琴班，钢琴老师吴勇在正式上课那天就向李云迪宣布："我希望你三年内闭门学习，不许参加任何比赛和演出。"然而没过多久，吴老师就意识到这个孩子不是普通学生。他打破了自己定出的规矩，让李云迪参加重庆市第四届"小新星杯"少儿器乐钢琴组的比赛。为了准备这次比赛，李云迪在学习进度上整整跳过了一本教材，而且令人欣喜地入围决赛，并最终夺得优胜奖。

这时，李云迪跟着吴老师学习尚不到半年。一天，吴老师对张小鲁说："这孩子领悟能力太强了，我都没法教他了。"张小鲁想，既然这样，那就换老师吧！好不容易有老师答应教了，但没过多久，换过来的老师又向张小鲁"诉苦"："你儿子的水平已经超过我，我没法教了！"又是"没法教"，这让张小鲁明白，儿子不能再在少年宫学习下去了。

为了给儿子选择合适的老师，张小鲁把目光放到了重庆市以外。后来经朋友介绍，终于在1991年，也就是李云迪九岁时，她带着儿子投到了四川省音乐学院附中著名钢琴教育家但昭义的名下。这下就更加辛苦了，每周末张小鲁都要带着儿子从重庆坐火车到成都上课，晚上再回到重庆，而且还要保证儿子的文化课学习成绩在优以上。直到三年后，也就是1994年，这段艰苦的日子才结束——李云迪报考了但教授任教的四川音乐学院附中。当时四川音乐学院附中的入学考试，钢琴成绩如果能达到80分就是非常优秀，李云迪考了96分。直到现在，还没有人能超过这个成绩。

直到进入四川音乐学院附中后，李云迪才知道，音乐的天空也有很厚重很浓郁的云朵，也有强劲的逆风，一路穿行会遇到很大的阻力，必须使出全身的力量才能穿云破雾。

正在李云迪充满激情地向远方进发时，但教授却要离开四川音乐学院附中到遥远的南方去了。1995年，但教授应邀到深圳艺术学校任教。但教授把这一情况告诉了张小鲁，并建议李云迪最好跟自己一同前往。这就意味着张小鲁将失去重庆的工作。为了儿子的前途，她毅然辞职，依依不舍地离开了生于斯长于斯且充满深厚感情的山城重庆。到深圳后不久，李云迪就以优异成绩考进了深圳艺术学校。

李云迪总是争分夺秒地练琴，但他毕竟不是机器人，也有因为练得很累而分神的时候。一天，李云迪一边练琴，一边不住地打呵欠，上下眼皮似乎要打架。在一旁织毛衣的妈妈立刻提醒他："振作起来，快把这支曲子弹好了去睡觉。"李云迪努力撑着，但就是打不起精神来。这时妈妈生气了，一把将他从钢琴前拉下来，然后把钢琴盖合上，有些恨铁不成钢地说："你别练了，睡觉去吧！"李云迪一个激灵，瞌睡虫也就跑得远远的了。他拉着妈妈的手央求道："让我继续弹吧，我保证睡觉前把它弹好！"李云迪的劲儿上来了，弹出的旋律如行云流水，不到 10 点钟，就将曲目弹得达到了要求。后来，妈妈在儿子分神的时候，总会采用这种"激将法"，以致学校的老师们都知道，不让李云迪练琴是对他最大的惩罚。

激将法对那些有着超强进取心、总担心自己会落后、素质高的孩子是十分管用的。它不仅让李云迪总能完成当天的任务，还帮他形成了不怕困难、迎难而上的坚韧性格，以及积极应对挫折的信心和能力。

🎤 在音乐的田野上奔跑

一棵茁壮的小苗，只要给它施上一点肥，它就能蹿着往上长。李云迪常常这样说："艺术学习更重要的不是为了出名，而是在于提升自我素质。"在他幼小的心灵深处，只是把学习钢琴当成提升素质和表达情怀的一种方式。也许别人会觉得他练琴练得很累，刚开始练习时也确实是这样，但越到后来，由于意识到提升素质才是最重要的，没有了名利沉重的"金子"挂在翅膀上，学起来也就越来越轻松了。即使累，也不过是偶尔的事。李云迪说，除练琴外，他还会进行各种锻炼，除了不会打篮球，别的活动他都很在行，比如打乒乓球、打羽毛球，跳高、跳远……

进行身体锻炼，相对于练琴就是"玩"，但李云迪能做到不会因为玩而破坏"规矩"。一次周末，妈妈告诉他："今天家里要来亲戚，然后随亲戚去打乒乓球。"李云迪一听，可高兴了！有亲戚来，就该为人家端茶递水，陪人家说话，然后再去活动，这样就不用练琴了。可他转念一想，这可不行，要是这样，今天的曲目练习就完成不了了。

妈妈似乎看出了他的心思，说："可不是，不能因为有客人来，今天的琴就不练了，一旦定下的事情，就不要轻易改变。"李云迪说："妈妈说得对，我正这样想呢。"妈妈于是采取了一个折中的办法：把活动时间往后推一个小时。这样，李云迪就可以提前一小时开始练琴，"每天至少练琴两个小时"的规定也就不会破坏。

亲戚来时，爸爸陪着他们聊天。李云迪练完琴后，也和爸爸妈妈一起高高兴兴地招待客人，大家再一起出去活动。路上，李云迪对妈妈说，"这样真好，既自觉地遵守了规定，也做到了礼貌待客，没牵没挂的，能玩得开心。"妈妈笑了，"虽然你在练琴上很优秀，但你毕竟是一个小孩子，需要大人的随时提醒和帮助。有些原则的事情是不能轻易更改的，否则形成了不好的习惯，再要改掉就不容易了。"李云迪说："感谢妈妈，其实，每天我只要完成了学习任务，看电视、打乒乓球，这些我非常喜欢的事情，妈妈从来就没干涉过我。"

当然，一个人无论怎样有素质，也有犯错误的时候。李云迪也不例外，特别是妈妈不在跟前时，更容易"放任"自己。一次，李云迪练着琴，妈妈说，你练着，我有事出去一下，很快就回来。

李云迪弹琴弹得累了，就想看会儿动画片调节一下。那天的动画片特别好看，把小云迪完全吸引住了。他想：今天的动画片这样好看，我索性把它看完，对练琴也不会有多大的影响。于是他不顾妈妈的叮嘱，由着自己的性子看起动画片来。

就在动画片快要结束时，李云迪听见钥匙开门的声音。不好！一定是妈妈回来了。他赶紧把电视关了，并向妈妈承认错识——自己看了20多分钟动画片。"错认篱根是雪，梅花过了一番寒"，连梅花也有犯错误的时候，妈妈并没对过多地批评孩子，而是在自己身上找原因：要让孩子自觉，就得为孩子创造一个"自觉"的环境。于是，妈妈把电视机搬出了房间。这虽然让李云迪感到不愉快，甚至伤心了好几天，但后来的一件事终于让他想明白了：妈妈这样做是对的，人要远离诱惑，如此才能专注地做事。

那天，李云迪和妈妈到乡下去，那里有一片分洪区，不分洪时，上面长满青草，绿茵满地，当地的农民都在里面放牧。有的牛散放着，有的牛却系在一个木桩上。到了夕阳西坠、炊烟四起、牛儿归栏的时候，那些系在木桩上的牛一个个吃得肚子滚圆，"哞哞"叫着，高高兴兴地回家去，而那些散放的牛却还恋着草场。

那些散放的牛总想吃到最好的青草，于是四处乱跑，时间花去了却没能吃饱肚子，倒是那些系在木桩受到限制的牛没有更多的选择，只能埋头吃着绳子范围内的草，而牛的主人只需隔段时间为牛换一处青草比较好的地方就可以了。

"妈妈搬走电视机，就是让自己有了一根木桩。"李云迪豁然开朗地说。

妈妈既严格又开明，这让李云迪的童年并不缺少快乐。每个周末，李云迪一天往往只练两个小时的琴，然后就在父母的带领下到公园或亲朋好友家玩。妈妈的专注教会了李云迪专注，妈妈的执着教会了李云迪执着，妈妈的开明也让李云迪学会正确地看问题，一点儿也不呆板拘泥。

李云迪12岁的时候，参加了一次全国性的钢琴比赛，获得第一名。付出得到了认可，李云迪感到无比高兴，既是为自己高兴，也是为爸爸妈妈高兴，更是为了但教授高兴。但当时中国非常著名的音乐教授周广仁说："李云迪的手太小了，不太适合成为职业的钢琴家。"周教授的话，让李云迪心里挺不是滋味。这时，懂事的他并没有过多考虑自己，反正自己年龄还小，不能学钢琴，大不了今后念普通大学，人生也可以有别的规划，只把钢琴当作爱好，也能让生活多彩多姿。他想到的是父母：如果不继续学习钢琴，爸爸妈妈心里一定很难受。

为了让爸妈这些年来辛勤的付出不至于半途而废，他去请教但教授："人们说'勤能补拙是良训'，难道说这个良训对我来说就不管用了吗？"然后，他坚定地说，"我想一定会管用的。"当但教授知道李云迪是担心爸爸妈妈听了周教授的话会受不了时，便对他说："世上无难事，只要肯攀登。你有这么大的信心，有什么事做不成呢？"

但教授随即去安慰李云迪的父母："虽然手小对学习钢琴会有一点影响，但李云迪只有12岁，身体并没有定型，他的手是能够长大的。退一万步说，即便李云迪没有别的钢琴家手大，但凭着他的勤奋，以及具有的音乐天赋，我想他做一个职业钢琴家是没有什么问题的。"短短

85

李云迪 举起苍茫的手指，收割天空和光芒

的话语、精到的分析，将李云迪和父母心头的不快一扫而光。

成功是爱好、勤奋和素质的综合体现。正如李云迪后来所说："钢琴是一种高雅的艺术，学习钢琴的过程是一个陶冶情操的过程。很多时候，也许你心情浮躁，也许遇到不顺，但是只要弹起钢琴，心情就可以变得安静，心灵就可以得到净化。"不受名利的诱惑，一颗安静、轻盈的心会让人飞得很高很远……

自己的行李自己扛

🎤 爸爸的行李与"迷途的羔羊"

良好的素质是成功的基础，也是做人的基础。而一个在做人处世上能严格要求自己的人，其事业更容易成功。

孩提时要父母提醒和帮助，但当一个人慢慢长大并获得巨大荣誉时，难免会趾高气扬，按捺不住那颗因兴奋而骄傲的心。

2000 年 10 月，18 岁的李云迪恰似音乐界的一匹黑马，受中国文化部选派参加在波兰华沙举行的第十四届"肖邦国际钢琴比赛"。这项钢琴比赛堪称音乐界的奥运会，每五年举办一届。这是世界上规格最高、演奏难度最大的比赛之一，之前两届的选手都无缘第一名。

大赛于 10 月 4 日至 19 日在华沙举行。通过录音带申请参赛的共有 256 人，经过预审，获得参赛资格的有 98 人，分别来自意大利、法国、德国、白俄罗斯、美国、阿根廷、中国、日本等 23 个国家。所有参赛者均有获奖背景，李云迪是其中年龄最小的一位。

大赛评委会由来自波兰、阿根廷、美国、奥地利、巴西、法国、俄罗斯、捷克、德国、意大利、以色列、日本这 12 个国家的 24 位资深音乐家组成，评委会主席由卡托维茨高等音乐学院钢琴系主任亚津斯基担任。比赛地点是气派不凡的波兰国家音乐大厅，早在半年前，半决赛和决赛的票就已售罄。

这次，李云迪凭借一曲肖邦《E小调钢琴协奏曲》，在世界一流钢琴家组成的权威评审团和广大波兰听众面前大放光彩。李云迪以他对肖邦作品的深刻诠释和令人折服的演奏一举夺冠，同时获得"最佳波兰舞曲演奏奖"。

当评委宣布李云迪摘取了15年来无人问鼎的金奖时，热情的观众都围上来将他高高托起，祝贺他成为大赛开办70多年来最年轻的夺冠者。李云迪是首位获此奖项的中国人，他为中国赢得了荣誉，也开创了中国钢琴历史的里程碑，成为中国年轻人的榜样。

华沙获奖后，根据有关协定，张小鲁和丈夫去了荷兰，参加在那里举行的肖邦钢琴比赛获奖选手专题演奏会。活动结束后，一家三口高高兴兴地回国。载誉归来的李云迪被鲜花和掌声簇拥着，便有了那么一点喜滋滋、轻飘飘的感觉。

在回国途中，张小鲁就发现一件"不正常"的事情：云迪的爸爸肩上扛着大包小包，儿子却甩着两只空空如也的手，志得意满地在一旁走着。张小鲁一看，这可不行，要提醒和敲打了！她立刻叫丈夫放下行李，喊住李云迪，以无可置疑的口吻说："云迪，别以为你现在是明星了就要别人伺候你，你自己的行李自己扛！作为儿子，你还得把爸爸的行李也扛上！"

几句话，说得李云迪羞愧难当，一下子如梦初醒：人可有傲骨，但不可有傲气，更不能在父母面前有"骄娇"之气。即便自己获得再大的荣誉，也要尽儿子之责。李云迪一个劲儿地向母亲认错，搬起地上的行李、踏着沉重的步子向前走去……

人们都说张小鲁是一名"虎妈"，但更多的人明白，在孩子的成长过程中，"虎妈"不可少，否则孩子会变成一只"迷途的羔羊"。

🎤 让行李利索整洁起来

华沙载誉归来后，李云迪开始参加国内外各种演出，满世界地飞。以前在妈妈的陪伴和照料下，他如鱼得水。如今张小鲁退居二线，因为李云迪已经有了助理和经纪人。然而，没有妈妈羽翼的庇护，斜风细雨会不时地濡湿他的身子，加上他丢三落四的习惯，难免有些焦头烂额。

有一次，李云迪要到美国举行大型演出，到了机场才发现机票找不着了，顿时急得满头大汗，赶忙打电话问母亲机票是不是落在家里了。张小鲁细心地把儿子用过的东西一一进行清理，终于在一本书里找到了那张机票。她赶紧给儿子打电话，随之打车赶到机场，在飞机起飞前 15 分钟把机票送到了儿子手中……

张小鲁回到家，这才意识到，这么多年自己只顾让儿子学钢琴，却忽略了培养他的生活自理能力。她决定为儿子补上这一课。

李云迪演出回国后，张小鲁见他将东西乱丢乱放，就会善意地提醒：使用过的东西须放在一个固定的地方。她还告诉儿子自己在生活中总结出来的不遗忘东西的经验，凡出门或离开旅店时，"伸（身）手要（钥）钱"——检查身份证、手机、钥匙、钱包这些必备的东西是否都带在身上。她还把几条应对健忘的小技巧打印出来，放进儿子包里和床头的抽屉里。

然而，对母亲的一片苦心，李云迪很不以为然："您烦不烦啊？艺术家都不修边幅的。"这其实是一种骄傲的表现，妈妈说："谁说艺术家就可以丢三落四、邋里邋遢？往后出门，你一定要让自己的行李整洁起来。"

李云迪去会朋友，几个小时后回到家，发现自己的房间被母亲打扫得一尘不染，还放了一束散发着清香的百合花。张小鲁对儿子说："孩子，你试一试，在这样清爽宜人的氛围下弹一曲，心情是不是不一样？"温暖明丽的阳光洒进来，李云迪坐在钢琴边，清越悠扬的旋律响起来，他的心变得格外宁静和安然……

他感谢地说："妈妈真有办法！"母亲时时处处以自己的一颗温暖明丽的心在辉映着他，不让他有半点灰暗。直到这时，李云迪才真正明白了母亲是如何一时一刻都不让自己的思想零乱无序及藏污纳垢的。

从此，李云迪的房间里不再是书本、袜子漫天飞，被子拖到地上。早上起来，他会先把被子叠起来，然后擦桌子……不仅如此，他还开始学做饭，蛋糕、面包、煎荷包蛋，都做得有模有样。

再次出外演出时，一切井井有条，人光鲜精神，行李也同样鲜亮整洁。

♪ 整整写了两天的贺年卡

荣誉引起的骄傲往往是暗藏着的管涌，堵住了这一个，又会"咕嘟"一声猛地冒出另一个。随着名气日盛，商业演出越来越多，大量的采访和演出让李云迪很兴奋，也实在有些喘不过气来。其实，忙并不是借口，心才是一切的根本。

古人说："君子不失足于人，不失色于人，不失口于人。"可李云迪却"失口"于老师了。那是一场演出刚刚结束后，李云迪正要缓口气儿，手机突然响个不停。他看了一下，就是不接。张小鲁问："是什么人的电话，怎么不接？"李云迪一边将手机放到口袋里，一边轻描淡写地说："是以前的一个数学老师，当时我成绩不好，他看不起我。现在求我来了，我才懒得搭理他呢！"俗话说："记人之长，忘人之短。"儿子的话让张小鲁心中很不是滋味，这样下去，儿子身边的真心朋友会越来越少。

当时就快到 2001 年元旦了，张小鲁有了主意。那天，她对李云迪说："你和妈妈上一趟街吧！"好久没有陪妈妈上街了，尽管有些忙，但李云迪还是和妈妈出了门。母子俩径直来到附近的一个邮局，挑选了一大箱子贺卡，妈妈让儿子帮她弄回家。李云迪心里疑惑，妈妈买这么多贺卡做什么？似乎看出了儿子的心思，妈妈说："这些贺卡全是为你买的，回到家后你哪里也不能去，就为亲朋好友写贺年卡。"

李云迪一下子明白过来，说："自从那天我没接那位数学老师的电话，受到妈妈的责备后，这几天我一直在反思，我是不是有些忘本了？"张小鲁告诉儿子，"你能有今天，别忘了许多人对你的帮助。新的一年来到了，你要亲笔给那些曾经帮助过你的人送去祝福。"回到家，张小鲁给儿子开了长长的一串名单，李云迪在家里整整写了两天。随后妈妈又和他一起把贺卡弄到邮局寄出。

这时，李云迪对妈妈说："这两天我每写到一个人的贺卡，就想到了他们对我的帮助。有的人虽说不是物质上的，但一句善良的鼓励的话语，也曾像春风般温暖过我的心。对老师更要感谢，他们传授给我知识，告诉我做人的道理。"妈妈欣然地点了点头说："那些收到贺卡的人会有怎样的感受并不重要，关键是咱们得对每个帮助过自己的人心存感激。只有成为人格上的大师，才可能真正成为钢琴上的大师。一架钢琴，只有人家听弹奏的时候才能感受到；但是作为人，是无时无刻不存在的。"妈妈的话让他懂得，做人比成为钢琴大师更为重要，时时刻刻都要给自己的心灵洗洗、擦擦，修身修心丝毫都不可放松。

没过多久，李云迪就收到了很多回寄贺卡及信件。有位同学还在信中讲述了以往的趣事，并写道："你那么有名了，还记得我们，谢谢……"阅读那些充满温情的贺卡和信件，让被突然而至的名利弄得有些云里雾里的李云迪拥有了一种发自内心的感动。他把这种感恩的心情带到演奏中，感情也就愈发细腻深沉。

只要不断提高自己的修养修为，人生就有了最丰腴的一翼，也就能让事业之翅变得更为坚实。而有了品德与事业这强劲的两翼，就能背负青天，扶摇直上九万里。

艺术不是玻璃门

名利是一把双刃剑，它既能让人斩获自己想要的，也能一次又一次地让人雾失楼台、月迷津渡。迷失自我，有的是骄傲造成的；有的则是由于认识错误，把有害药物当养生的蜜糖。而母爱，虽没有史诗般动人心魄、没有《英雄交响曲》那样雄浑高亢，但无论孩子的心灵上有怎样的阴霾，它都能让孩子心灵的原野豁然出现一片明净的天光！

2001 年，李云迪与全球最大的古典音乐唱片公司德国 DG 公司签约，成为与之签约的首位中国人。同年 5 月，通过层层选举，李云迪又成为"影响 21 世纪中国的 100 个青年人物"之一。随后，他在洛杉矶、旧金山、多伦多等地成功举办了独奏音乐会。2001 年 12 月，李云迪的首张 CD 专辑《肖邦精选》内地首发。2002 年底推出第二张 CD《李斯特钢琴精选集》后，2004 年他又推出了第三张个人 CD《肖邦诙谐曲·即兴曲》。此张大碟发行伊始，就赢得了评论界和乐迷的一致赞誉。接着，李云迪被聘为首都师范大学音乐学院的客座教授。

2004 年，李云迪先后在维也纳、柏林、纽约等世界著名音乐厅举办音乐会，与小泽征尔等国际顶尖大师同台演出。然而，由于频繁飞往世界各地演出，李云迪须不断倒时差，生物钟失调，加上每一次演出，追求完美的他都严格要求自己，精神高度紧张，因而睡眠状况不好，以致引起失眠。同时，出生于重庆

的李云迪喜欢麻辣口味和饺子，因为偏食，加上睡眠不好导致的胃口差，即使面对一桌山珍海味他也提不起兴致。李云迪演奏前往往会叫工作人员准备一些维生素C泡腾片，以增强机体抵抗力。但是，巨大的压力和饮食的不适应让他的身体日渐消瘦。

为了协助医生治好儿子的"时差症"，使儿子的身体健康起来，李云迪演出一回国，妈妈除了第一时间做好儿子爱吃的韭菜馅饺子，并拌上他最喜欢的镇江陈醋、麻辣酱外，平时还请教厨师、在网上查资料，学着做各种西餐，儿子吃两天四川饭菜后，便让他吃外国菜，调理他的口味。儿子睡不好，每次外出演出上飞机前，她都会在儿子的行李包里放上一个依据仿生学原理设计的"太空记忆波浪形头枕"，以此来改善儿子的睡眠……

渐渐地，李云迪适应了世界各地的口味。在微博中，他高兴地表明自己已成为一个"吃货"。饮食和睡眠是一对孪生兄弟，往往能吃了也就能睡，李云迪的睡眠逐步恢复到正常状态。

然而就在这时，网上掀起了关于"朗朗与李云迪谁更胜一筹"的争议。有人认为朗朗比李云迪强多了，由于李云迪不看重"出镜率"，甚至有人说他过气了。那段时间，李云迪心里堵得慌，经常眉头紧锁，琴声中也多了一缕淡淡的忧伤。

张小鲁看在眼中，疼在心里。在这至关紧要的时候，母爱又发挥它的威力。张小鲁让自己冷静下来，仔细查看了大量的网络评论，然后带着李云迪赴深圳，找到恩师但昭义教授，请他指点迷津。但教授和李云迪语重心长地逐一分析："虽然在大众眼中，你和朗朗同为天赋异禀的'钢琴王子'，但只要深入了解，就会发现你俩从性格到演奏风格迥异。朗朗表演激情澎湃，极富表现力；你则内敛含蓄，以柔克刚。你们都是中国人的骄傲，

李云迪·语录

66 当你成为一个榜样的时候，大家对你的期望更高，大家觉得很多事情是理所当然的。我也希望在某些时候是能轻轻松松的。比如能够好好地吃一顿饭，吃自己喜欢的菜；或者什么都不想，只是听听音乐，喝喝茶。 99

李云迪 举起苍茫的手指·收割天空和光芒

任何人都无法取代你，你也没有必要去取代其他人……"但教授深中肯綮、拨云见日般的话语让李云迪内心有了深深的触动。

李云迪清楚和朗朗没有什么可比的，也就不再搭理别人再将他们相比的事了。这时，他似乎也不再那么把心思放在钢琴演奏上了，而是将注意力放到名车、高档日用品等上面。

一天，妈妈见他装扮得"光彩照人"，用的是香奈儿、背的是 LV 包、戴的是劳力士手表，就把听到的话告诉他："云迪，有人说你快要玩物丧志了，你可要注意哟！"李云迪不以为然地说："我要的可不仅仅是名牌，我更看重的是那些名牌的底蕴。国外这些名牌之所以能有这么大的名气，实际上是因为它们都有着深厚的文化底蕴和背景，而其制作者把每一件产品都当成艺术品来打造。人们不是总在说艺术是相通的吗，我使用它们就是要在潜移默化中，让自己的艺术境界和精神境界得到提升。"

妈妈知道儿子走入了一种认识误区：李云迪要以名贵之物为载体，让自己厚重、高贵起来。其实，他是坠入了孤芳自赏的自恋泥淖中。儿子还高估自己，认为自己底蕴深厚，已经成了真正的钢琴大师。在日常生活中，他除了巡演，不再理会任何事，完全沉浸在自己的世界里，并美其名曰：自己是在积累。这是明显地将有害药物当蜜饯，而他自己却一点儿也不知。

🎙 艺术是走出玻璃门，走进大众的心间

李云迪成名时，朗朗才刚露头角。和李云迪一样，朗朗属于少年天才。更巧的是，他只比李云迪晚一年和 DG 唱片公司签约。

朗朗成名后，出镜率非常高，他不但在世界各地巡演，还担任了联合国儿童基金会国际亲善大使，成为第一位担任此职的钢琴家。

张小鲁在电视上看了北京奥运会开幕式上朗朗的演奏后，觉得儿子还像这样下去，恐怕就会像赛龙舟一样，到时连朗朗龙舟的尾梢也够不着了。但她一时又不知道该怎样去说服儿子。于偶然间，她终于找到了突破口。

那是秋日的一天，天突然刮起了大风，气温骤降，张小鲁要为在训练室的儿子送衣服，可当时李云迪并不在训练室。于是，她给儿子打电话，电话中李云迪告诉妈妈，他和一位朋友在一家茶馆喝茶，切磋技艺。张小鲁又赶到茶馆，见妈妈去了，李云迪赶紧起身迎接，却只听"砰"的一声，李云迪的头碰在了门上。原来那是一扇玻璃门。

妈妈很心疼儿子，心间却不禁一动。待回到训练室后，张小鲁说："云迪，刚才我仔细想了，你现在的情况就像在紧闭着玻璃门的房间里一样，虽说人们能看见你，可你却拒人于门庭之外。这样，面对你的妈妈，你也难免要碰到头，更不用说在面对别人的时候了。"见儿子若有所思，张小鲁又说，"你总说你依然要积累，你想过没有，哪怕你的艺术修养再高，但你不能进入大众的心间，人们不能常常听到你的演奏，你这种修养又有什么意义呢？"

🎤 砸碎"玻璃门"，重新焕发瑰丽的艺术青春

听了妈妈的话后，李云迪整整三天都把自己关在房间里。妈妈的话在他脑海里不停闪现，他对自己所谓的"以名贵物品来提升艺术及精神修养"的理念第一次产生了怀疑。第四天，当张小鲁再见到儿子时，李云迪显得格外轻松。他神采飞扬地说："妈妈，我想明白了。以前我一直沉浸在自己的世界里，认为这样才是全身心的投入。但我错了，音乐不是属于哪一个人的，是属于所有人的，只要有人的地方，就会有音乐，就会有艺术。现在我要做的，就是砸碎这扇'玻璃门'，置身广大的观众之间。"说到这，他向妈妈深深地鞠了一躬，说："谢谢妈妈！"看着儿子的再次觉醒，而且是他人生中又一次极为关键的觉悟，张小鲁一把抱住儿子，喜悦的泪水悄然滑落。

李云迪不再迷恋名贵物品了，独自弹奏起孤寂却响彻云霄的曲子。在那段日子里，儿子

> **李云迪语录**
>
> ❝ 我觉得只要有良好的演奏能力，什么时候演出大家都会欢迎。但是这个过程是需要付出和耐心的，你要舍得去投入时间，而且不能去想结果。音乐家要不断探索不同领域的作品，同时也进寻着对艺术的执着与梦想。❞

李云迪 举起苍茫的手指，收割天空和光芒

弹奏时，张小鲁总会守候在他身边，当他唯一的听众。每弹完一支曲子，她会给儿子一个深情的拥抱，说："孩子，艺术的最高境界注定是孤独的，也是高昂而飞扬的，让自己的艺术独立，这才是真正的音乐家！"母爱隐忍而深沉，李云迪心里满是感恩。

在母亲和但教授的悉心开导下，李云迪终于再次展翅高翔，他坚守自己清冷淡定的艺术风格，百炼钢化为一曲曲华美的绕指柔。从 2010 年到 2011 年，李云迪马不停蹄地活跃在音乐飞驰的道路上。他签约古典唱片品牌 EML 唱片公司，并录制发行《肖邦夜曲全集》。

2010 年 3 月 1 日，在波兰华沙国家大剧院肖邦诞辰日音乐会上，他受邀前往演出，并被波兰授予第一本肖邦护照。同年，李云迪入选《中国国家形象宣传片——人物篇》。

2011 年，在中国召开的金砖五国峰会文艺演出上，李云迪以一首浪漫而富有深意的中国乐曲《在那遥远的地方》，为时任党和国家领导人胡锦涛主席，以及俄罗斯总统梅德韦杰夫在内的五国最高元首献礼。

2012 年从 9 月 20 日开始，李云迪的亚洲巡演高达 21 场之多，所到之处，人气爆棚。这一年的央视春晚上，李云迪更是一改以往浪漫含蓄的演奏风格，与著名歌手王力宏演绎了一曲激情澎湃的《金蛇狂舞》。这次演奏不禁让人们想起了当今最受人热捧的钢琴手朗朗。人们说，李云迪一度领先朗朗，而后被朗朗远远甩在了后面，如今他又能与朗朗并驾齐驱了。

2013 年 2 月 9 日晚，李云迪联手刘谦再次亮相春晚，在这位"钢琴王子"忧郁的艺术气质下，迸发出的是沙漠燃烧般的艺术激情。因激情而从指端流泻出如天籁般的美妙之音，感染了全国亿万观众，也让观众们看到了"一个不一样的李云迪"。表演完毕，现场掌声不断，达到了蛇年春晚的沸腾点。

这些让妈妈好不欣慰。

艺术不是"玻璃门"，而是"舞台门"，一个钢琴家只有将自己美妙娴熟的演奏献给最广大的观众，才能使艺术真正拥有巨大的生命力，离真正的大师也就不远了。

投入情感远比技巧重要

🎤 访问肖邦故乡，走进大师心灵

　　走过曲折，走出浮躁，李云迪真正成熟起来。《纽约时报》评价说："李云迪是一位诗人般的钢琴家，同时他有着极其敏锐的触觉，对音乐肢体和旋律线条的感知同样无懈可击，所有这些特质使他的肖邦臻于完美。"

　　身为肖邦代言人的他，其实一直努力做着继承并发扬肖邦音乐风格的工作。音乐界都知道，肖邦音乐的弹奏是最具难度的，因为肖邦音乐是激情与浪漫的糅合体。"关键是很难把握其中的度。"对此，李云迪解释道，"要弹好肖邦曲，需要真正读懂肖邦。"也许是机缘，也许是他与肖邦有着相同的气质，年轻的李云迪独爱肖邦。他说，"只要听到肖邦的曲子，我的心就会变得格外宁静。"

　　很小时，李云迪就下定决心，要好好演绎肖邦的曲子。凭借喜好和努力，以及数年如一日的钻研，李云迪不仅读懂了肖邦，而且做到了对肖邦音乐运用自如。"肖邦的音乐伴随着我的成长过程。肖邦是伟大的钢琴诗人，他一生都在为钢琴创作。"只要一说起肖邦，李云迪总能滔滔不绝，而这些话绝非肉麻的吹捧，听得出是他真正走进大师内心之后的感悟。

　　2010年初，在他从"玻璃门"走出来以后，李云迪重访肖邦的故乡波兰，再次感受肖邦的音乐心灵。他站在当年肖邦弹过的钢琴前，躬下身来，无比恭敬，极其虔诚，对钢琴一遍遍轻轻抚摸，就如同和前辈在交流。他弹了弹那饱经沧桑和时光洗礼的琴，喃喃而语："音量怎么这么小？"肖邦似乎在对他这位传承人说："当年我只在两三百人的沙龙里演奏，音量无须太大。"李云迪明白，真正的大师，其音乐是摒弃了商业喧嚣的心灵的宁静，是在和自己的灵魂沟通；真正的大师，懂得让自己在不大的天地里，让心灵的泉水轻盈而舒缓地淌过他人心灵的河床……

*丝丝缕缕*间，李云迪如同在月光如水的三五之夜，泛舟在肖邦盈盈溢溢作品的河流里。"肖邦是唯一一位把一生都奉献给钢琴的作曲家，他的作品涵盖了钢琴中几乎所有的技术、音乐和艺术。我是一个完美主义的人，非常挑剔，用 10 年甚至 15 年的时间来演绎其作品，这些时间其实并不算长。"李云迪发现，世界的艺术就如同溪流接河流、河流接海洋，它们是相通的，肖邦的作品和中国传统文化有着许多共同之处。

> **李云迪语录**
>
> 66 艺术本身就是很个性化的。我不是为了展现我会演奏很多作曲家的作品，我希望把肖邦演绎到最好。人都是有情绪的，但你必须坚定自己的信念。99

🎤 读懂肖邦——平实委婉才是音乐之魂

走近肖邦，真正领悟肖邦的音乐内涵，让李云迪更加成熟。

"肖邦不喜欢夸张华丽的元素，而是倾向于使用平实委婉的手法，其实这是很伟大的。一件艺术品，痕迹越多越拙劣，不显山露水才是最高的境界。""肖邦的作品中从没有声嘶力竭，却永远那么优雅，带有贵族气息，这点非常符合中国传统，即旋律优美意蕴深刻，高雅而委婉；他作品中的平衡感，就像是中国文化中阴阳平衡的境界，有一种柔中带刚的意境。"李云迪说。

走进肖邦的心灵，使得李云迪形成了自己的艺术观与人生观："我从来都不觉得要把所有的精力放在追求功名利禄上面。要不断地学习，同时也要体验人生和享受生活"。其实，肖邦大赛获奖至今，李云迪一直都坚持着对肖邦作品的研究和演奏。随着对古典音乐的研究和把握，以及人生阅历的增加，李云迪表现出超越同龄人的成熟。而这种成熟最明显的表现，无疑就是他已经能够淡然面对成败得失。

"对我来说，今天有机会站在舞台上，我可以弹；可能明天大家不喜欢我了，我也可以休息，过平淡的生活。"眼前的李云迪，谈笑间云淡风轻，不禁使人觉得，对优雅而淡泊的肖邦音乐演绎，不仅是李云迪的演奏风格，更是他的人生态度。

2010年对李云迪而言意义非凡，这一年是肖邦诞辰200周年，也是李云迪荣获第十四届肖邦国际钢琴大赛冠军后的第十个年头。一年内，李云迪先后举办了90场独奏会。从伦敦、纽约到日本三得利，国内从5月15日北京国家大剧院开始一直到12月27日上海大剧院拉上帷幕，李云迪走过了包括大连、青岛、武汉、广州、重庆、杭州等十几个城市，可谓在全球范围内掀起了一股肖邦热潮。

5月15日，在北京国家大剧院，肖邦诞辰200周年·李云迪独奏音乐会"Live in Beijing"现场，由于李云迪的粉丝太多，国家大剧院首次破例开放了站票。

在上海大剧院音乐会一共有小夜曲五首、平滑的行板与辉煌的大波兰舞曲降E大调、玛祖卡四首、奏鸣曲、波兰舞曲诸多曲目。其中，《辉煌的大波兰舞曲降E大调》是李云迪2000年参加肖邦国际钢琴大赛获得"大波兰舞曲最佳演奏奖"的曲目。这首曲子演奏完毕，全场掌声经久不息，不少外国音乐爱好者纷纷起立向这位年轻的"肖邦最佳演绎者"致敬。

99

李云迪 举起苍茫的手指，收割天空和光芒

为了推广肖邦等古典音乐艺术，2013 年，李云迪"中国钢琴梦"主题音乐会巡演及大师班讲学系列深入中国各省（市、自治区），80 天 30 多个城市，足迹遍及整个中国，尤以在众多二、三线城市演出和讲学为主。

更难能可贵的是 2014 年，李云迪带着他与著名指挥哈丁和柏林爱乐乐团录

制的最新唱片《王者幻想》曲目，开启他"2014 王者幻想全球巡演"。

2014 年 11 月 6 日，李云迪首次亮相北京国际音乐节王府井教堂音乐会。这不仅是这位中国钢琴界重磅人物阔别四年后重返音乐节舞台，同时也是教堂音乐会创办 8 年后迎来的首场钢琴独奏会，还是李云迪在国内的第一次教堂演出。

2015 年，33 岁的李云迪担任第十七届肖邦国际钢琴比赛评委，成为评委席中

最年轻的一位。

🎙 生日是用来感恩的

读懂肖邦之后，除了感恩，李云迪更加清楚，自己取得的成绩越大，越要做到饮水思源。这些年来，他努力做到"滴水之恩，涌泉相报"，而且热心公益。

2007 年，李云迪被委任为深圳义工青年大使，鼓励大众积极参与慈善公益活动。在意大利都灵为深圳市申办世界大学生运动会演奏《黄河协奏曲》。同年，他又赴日本为 2010 年上海世博会进行推广演出。2008 年，他与廖昌永、陈萨等川籍艺术家及四川交响乐团联袂演出，为 5·12 地震灾区的同胞筹款。后来南方大雪，湖南等南方几省市大面积受灾，他又举办了一场赈灾义演音乐会，为灾区筹款。2011 年 1 月，中国红十字会总会"红十字之夜"独奏音乐会为全年 88 亿善款做答谢演出，以感谢为致力慈善、抗击灾难付出过努力的人们。红十字会授予李云迪"爱心音乐大使"荣誉。李云迪还为湖南乡村的孩子们捐赠了 21 间音乐教室。2011 年 10 月底，李云迪在家乡重庆演绎了一部叫作《爱的深呼吸之爱的风铃》的公益微电影，借此声援在南非德班召开的气候大会，以一个钢琴家和音乐人的角度，对中国当下城市发展和自然保护所面临的生态问题进行了一系列的思考和阐释。

感恩、回报社会，成了他人生的主题曲。2012 年 10 月 7 日，李云迪回到深圳，度过了一个特殊而有意义的 30 岁生日。深圳，是李云迪的第二故乡。当年，是深圳艺术学校为他提供了良好的钢琴学习环境，让他走出国门参加比赛，从而一举成名天下知。

生日之前，由于钓鱼岛问题，并出于个人情感，李云迪取消了原定在日本举行的 16 场音乐会。"我将用这段时间留在国内做一些自己想做的事，用音乐回馈社会。"在 30 岁生日当天，他身体力行，以一名普通义工的身份参与"关爱特殊儿童"公益活动，走进爱佑和康儿童康复中心和深圳市儿童医院，给这群特殊的孩子送去一份特别的关怀与祝福。

在爱佑和康儿童康复中心，有的孩子爱好钢琴，李云迪便亲切地对那些孩子予以指导，纠正他们不规范的地方，让孩子们的演奏技巧得到提高；他以满腔的热情感染孩子们，还与自闭症患儿们一同唱歌、做游戏，给孩子们留下了难忘的回忆。

去深圳市儿童医院时，李云迪特意带去一些图书，赠送给患白血病的小朋友。孩子们得到散发着芳香的书，都非常高兴。连同书香，阵阵欢声笑语飘出窗外……他还和与自己同一天过生日的孩子齐声唱生日歌，欢快地与他们一同吹蜡烛、许愿、切蛋糕。

李云迪说："三十而立，三十岁生日是每个人一生中的重大日子，也是人生中一个重大的转折点。我从小在深圳这片热土上学习，在这片土地上得到关爱，我希望将我所得到的尽可能回报给这个培育我的地方，将深圳给我的爱传递给小朋友们。"

李云迪对挥洒着青春时光的深圳有一种特殊的情结。原定行程是到两个机构探访患儿后立即赶飞机回北京，当他知道去机场的路上会经过母校深圳艺术学校时，他执意要回母校走走。在母校，他说："2000年我从深圳走向世界，十二年过去了，我对这里的感情一点也没有改变。三十岁这天能回到这个地方，我觉得特别有意义。时间再赶，也要回来看看。"

回到北京后，李云迪怀着感恩之心在微博上写道："而立之年，我逐渐开始有了太多有关音乐、梦想、人生的故事想用笔记录下来。与几千万曾学过钢琴，或正在学钢琴的你们一起，见证我们共同有过的青春……"

永远让大家分享自己的快乐

三十而立，站立起来的生命会以更为成熟的脚步迈向每一个新的一天。时间是新的，空间也会是新的。随着演奏技巧的日臻精湛，以及对生活和生命更加深刻的理解，在此基础上的新，其本质是一种扩张——音乐传播的空间在扩张，生命的深度与广度也在扩张。人们将会看到一个灵魂日益强大的李云迪。"热情的燃烧，人与自然的抗争，与命运的搏斗，道路艰辛也坚定地向前。矛盾的困扰，不停地探索，死亡也因此绽放出了最崇高最悲壮的美的光芒！"有着如此豪迈壮观的思想境界，什么也阻挡不了他的脚步。

艺术是相通的。李云迪爱看莎士比亚，并不断从中汲取养料。他尤其爱看莎士比亚的《冬天的故事》，特别欣赏宝丽娜的那句充满生命律动的台词："一块儿去吧，你们这辈命运的骄儿；让大家分享你们的欢喜吧！我，一只垂老的孤鸽，将去拣一株枯枝栖息，哀悼着我那永不回来的伴侣，直至死去。"

一位只会沉浸在音乐王国里的钢琴家还称不上艺术家，也称不上大师。不要以为能演奏很难的作品就是大师，真正的钢琴大师不仅能够演奏很多风格的作品，而且情感把握准确、拥有良好的艺术素养及专业素质，还要有一颗进取、谦逊的心。这就是不断迈向新的一天的李云迪的思想境界。

一位艺术家首先应该是个思想家，要对生活扬起憧憬与希望的风帆，要敢于对人生的乖谬错讹发出抗争与警诫之声，要怀有一颗仁爱之心，就像肖邦那样，爱他的爱人、爱他的祖国、爱他的同胞，倾注所有才华与情感在音乐里，让爱的旋律在人类的上空永远飘扬。

因为爱，才伟大。有了爱，与肖邦一样，李云迪这只音乐天空中的雄鹰会越飞越高、越飞越远……

韩庚

— 《寒更》，曙光初启于极夜一瞬间 —

这些年来，韩庚以惊人的走红速度和高涨的人气不断创造着奇迹，以超炫的舞技闪耀于亚洲乃至全世界。韩庚因他的独特魅力，有着一呼百应的号召力。人们之所以非常喜爱并极力赞美韩庚，是因为他艰难的成长历程，以及出众的才华。

陶轲 / 摄

1984 年 2 月 9 日，出生于黑龙江省牡丹江市。

1990—1996 年，就读于黑龙江省牡丹江市光华小学。

1996 年，12 岁的韩庚前往北京，就读于中央民族大学中专班舞蹈系，主修民族舞蹈，并额外学习了芭蕾、武术。期间，他多次随团到美国、俄罗斯，以及中国的香港、台湾、澳门等地演出。

2014 年，第 22 届 WMA 世界音乐奖 (World Music Awards, 简称 "WMA") 中，入围 "年度最佳艺人" "最佳男艺人" "最佳音乐录影带奖" 三项大奖。

2013 年 3 月 24 日，在美国儿童选择奖（Kid's Choice Awards, 简称 KCA）颁奖典礼上，韩庚凭借其第二张专辑《寒更》，获 "亚洲最受欢迎艺人" 奖；参演好莱坞 A 级制作《变形金刚 4》将事业版图向国际拓展。同年 9 月 4 日，担任 MTV EXIT 反贩卖行动形象大使，并出席《MTV EXIT 反对人口贩卖》独创纪录片《人口贩运（中国）》全球首发会。12 月，取得登太空资格。

2012 年，主攻 "音乐"，以全部精力和时间投入专辑《寒更》的制作及发布，在全亚洲同步发行唱片，并在亚洲多个排行榜上登顶销售冠军及单曲冠军。

2011 年，以男主角身份主演电影大片《大武生》《前任攻略》等。去的青春《致我们终将逝去的青春》等。12 月 28 日，在北京出席 "LOVE-LIFE" 慈善活动内地启动仪式。

HANGENG

韩 庚
大事年表

2001 年，参加韩国著名娱乐公司 S.M.Entertainment 在中国举行的选拔活动 "H.O.T.China Audition Casting"，以 3000:1 的比例脱颖而出。之后，在一些低预算电影中跑龙套以挣取学费。

1999 年，代表少数民族青少年，参加 50 年国庆阅兵仪式。

2002 年，系统学习 56 个民族舞蹈，从中央民族大学毕业并在毕业汇报晚会上跳了九支舞。同年 8 月下旬，韩庚被告知将进入 SM 娱乐。前往韩国学习唱歌、舞蹈、演戏，还有韩语。

2005 年 11 月，SM 娱乐公司面向亚洲娱乐市场推出了组合。韩庚作为其中唯一的中国成员并且是第一位正式在韩国出道的中国人，成为组合的亮点。11 月 6 日，"SUPER JUNIOR" 以曲目 "Twins" 正式出道，韩庚亦正式踏上了演艺征途。韩庚发行唱片、举办巡回演唱会，迅速席卷全亚洲。

2010 年，宣告单飞，音乐、电影全方位发展。12 月，出版全新概念书《韩庚 1221》，以纪念解约单飞后的经历和成绩。3 月 25 日，向 "甘霖行动" 捐款 10 万元救助西南旱灾。8 月 17 日，委托好友向舟曲捐款 10 万元。9 月 15 日，担任 "音乐之声 1200 助学行动" 爱心大使，个人资助 10 名儿童，并录制 "Music Radio 音乐之声 Kappa 1200 助学行动" 主题曲《大手小手》。12 月 22 日，参加 "母亲水窖" 香港公益活动，并获颁 "母亲水窖公益大使" 证书。

2008 年 2 月，委托好友何炅为冰灾代捐 2 万元。5·12 汶川大地震后，主动献血，而后携手代言的某品牌向灾区捐款 680 万元。

放手一搏，勇敢挑战

🎤 **幸福是什么——舞并快乐着**

韩庚出生于黑龙江省牡丹江市东北的一个偏僻小镇。他说，当大家都为自己出生小镇而不好意思说出来的时候，他却觉得这没什么大不了的。有些东西可以选择，有些则是不能选的，出生的家庭与出生地只能是冥冥中的安排。如果你是一位阳光少年，不要计较太多，不富裕的家庭、偏僻的小镇并不会妨碍你快乐地成长。

韩庚的心中就一直有阳光可掬，比如每每说到小学以前那段时光，他的心中总会感到暖融融的。从出生到小学，那个家、那个小镇就是他的快乐之园。爷爷奶奶捧着他的手心，那抹热乎至今依然温暖着他的心；学校那并不宽敞的操场上，曾撒落他多少汗珠和笑声，让他永远也不会忘怀；还有晚上一玩起来就不愿意回家的小伙伴们，宛如那些夜晚缀在天上的月亮和星星，会恒久地挂在他的心空；当然，最不可忘怀的是父母牵着他的手在逛完夜市后，坐在街边来上一顿散发着喷喷香味的排骨串大餐。

美食总是孩子们的最爱，那一缕缕香味会永远在他们心中缭绕。因为在他们汗津津地享受着舌尖上的美味时，父母往往会说，只要你认真读书，学习成绩好，如此这般的排骨串大餐每天都可以吃。但是，儿时的韩庚不太爱念书。也许是因为镇上就那么一所中学，成绩再好也只能到那儿念初中，希望有更多选择的他就有些泄气：反正成绩不上不下，比中游略胜一筹，也过得去了。

　　一个人心态阳光就会有使不完的精力，这么充沛的精力即使不全放在学习上，也不能让它白白浪费掉。八岁的一天，韩庚来到一个游戏厅，他要在游戏的"战场"上痛痛快快地"攻城略地"一番。走进游戏厅时，他看见游戏厅隔壁门前的场地上有一群孩子在跳舞，阳光洒下来，像金色的绸子在风中翻动，孩子们活泼灵动的舞姿一下子就把小韩庚吸引住了。

　　他注目看了一会儿，发现就那么几个简单动作。他想：这又有什么难的，我也会。有一个胖胖的女孩站在一边，韩庚走过去对她说："我能和你一起跳吗？"舞蹈老师给了他一把小红伞，他和小女孩随着音乐跳了起来。这一跳起来，韩庚就显得格外吃力了。原来，小女孩比韩庚高，他得把雨伞举得高高的，这样当然费劲了。韩庚跟老师说："老师，这样不行，你让她举伞吧。"虽说以前没学过跳舞，可在这春日里的阳光下，他舞动着的身姿也轻快似春燕展翅……

　　从那以后，电子游戏对韩庚不再有丝毫诱惑。他知道与胖女孩跳的是《红雨伞》，一旦有时间，瘦弱的他就跟"胖妞"一遍遍地练习。那时，他不知道什么是幸福，但他清楚地知道，一旦舞起来，自己就会感到很快乐。

　　不久，一位老师发现了他："这孩子有跳舞的天分！"老师问他想不想去考北京舞蹈学院或者中央民族大学舞蹈系，要是想，老师就教他跳舞。他当然愿意。

　　当时他不会劈叉，根本叉下不去，苦练一个星期之后，他总算能叉下去了。但在他看来，当时那个练功房就是希特勒的刑场，他叉开腿，使劲往下压，大腿与地面却依然有那么一道缝。老师等不及了，"啪"地一按，就下去了。还有垫子，一层垫子那么高，给他一连垫了五层，一条腿放这儿，一条腿放那儿，老师又是拿脚一踩，下去了。那个疼啊！他疼得说不出话来，三秒钟后才"啊"的一声叫了起来。他说，那一刻，他才真正懂得什么叫"痛，并快乐着"，因为尽管痛，但一旦又跳起舞来，他感到的只有快乐，痛也就很遥远了。

　　四年的舞蹈学习，让小镇上的人见识了什么才叫舞蹈天分，什么才叫勤奋，也让舞蹈老师觉得自己的水平实在有限。他们对韩庚的父母说："小镇的舞池太小，如果不想耽误孩子，你们应该带着孩子到大城市去求教于名家。"韩庚的父母感激地说："谢谢，是各位老师激发了韩庚跳舞的热情，教他学到了不少本领，也谢谢大家的提醒。"

正在父母商量着把孩子送到哈尔滨时，韩庚说："爸、妈，既然要远远地离开家，为什么不去北京呢？"爸爸说："我们也不是没考虑过，去了北京那我们就更难照料你了。"韩庚粲然一笑，"我已十二岁了，难道还要做个饭来张口、衣来伸手，什么都得爸妈伺候的小孩子？你们尽管放心好了。"见儿子这般笃定，爸妈也不好再说什么了。

1996 年，12 岁的韩庚只身前往北京，就读于中央民族大学中专班，专攻民族舞蹈。从此，更为艰辛的路摆在了他的面前。他每天早上 5 点起床跑步，一个小时后吃早饭，6 点半开始上早功，直到 10 点；然后是踢腿，到 12 点才结束。单说踢腿，左腿、右腿、旁腿、后腿，一条腿至少要踢五千次。看着离自己不远的一根铁棍，他是多么想去扶住，可是不能，直到双腿踢得就像那根铁棍，都没知觉了，他才停下来。

天分加上勤奋和坚韧，佼佼者无不是凭着这些飞上人生的高空的。在中央民族大学就读的六年中，韩庚学会了 56 个民族的舞蹈，还学习了芭蕾舞和武术。他愿意尝试，也敢于尝试。多次组织晚会的经历，让他积累了丰富的舞台经验；他还跟同学一起参与过拍摄电影，尽管他饰演的角色台词只有干巴巴的两句："你没事儿吧？想什么呐！"但他已很满足："这也是一种人生经验的积累吧！"江河是不拒细流的。

不过有时，他也会慵懒得想歇口气，每每这时，他就会想起小时候的一件事。

有一年的冬天，妈妈要到邻居家磨豆子，让他先去跟邻居婶婶说一下。刚到邻居家门口，就见一只狗狂吠着向他扑来，还咬住了他的裤脚，吓得他拔腿就跑。那狗嘴巴咬着来不及松开，结果"嘶"的一声，裤脚被撕开了个大洞。他大哭大叫着跑回家，妈妈见了紧紧地搂住他，一边给他擦着眼泪，一边轻轻地抚摸着他的胸

韩庚语录

66 我们需要把音乐的上下起伏在舞蹈的表现中做得更夸张一些、更有感情一些，这样大家看到也会觉得更有意思。一个舞蹈演员自己在脑子里怎么去理解音乐非常重要。99

韩庚 《寒更》﹒曙光初启于极夜一瞬间

口，安慰说："别怕别怕，狗是人喂养的，世上只有狗怕人，哪有人怕狗的。如果人怕狗，那就没路可走了。"

几天后，妈妈又让他去这个邻居婶婶家传个话，他不敢去。妈妈告诉他，见了狗追他，就蹲下身子拾一颗石子什么的扔过去，狗就会逃走的。他按照妈妈的说法那样做了，狗果然"汪汪"叫着掉头跑了。后来他慢慢悟出：生活中的困难就像拦路的狗，知识、技能和勇气就是石子，扔石子打狗，前面自然有路可行。妈妈的话让他受益匪浅。

不惮吃苦、乐于尝试的韩庚拥有了比别人更多的才华，机会也就更青睐于他。念书期间，韩庚多次随团到美国、俄罗斯，以及我国的香港、台湾和澳门等地演出。他还参加过比赛，获得"全国少数民族孔雀杯"的二等奖。

多才多艺的韩庚总能时时处处展露自己的光华。在毕业汇报晚会上，韩庚一共跳了九支舞——傣族舞、朝鲜族舞、维吾尔族舞、藏族舞、蒙古族舞、东北秧歌，成品舞《猎人》和《草原茫茫》，以及晚会结束时的群舞《踏上征途》。除了最后的群舞，其他八支舞韩庚都是作为领舞出现的。

"飞不妄集，翔必择林"，一个生命个体总希望能做出最好的选择，而越是优秀者，可供他选择的道路就会越多，路多了选择的难度也就更大。2001 年 4 月，即将毕业的韩庚站在了人生的三岔路口上。当家人为了他能到上海金盾艺术团工作而欣慰的时候，一个前途不明的选项却闯入了韩庚的人生。

🎤 跟妈妈"暗战"，三千比一踏上韩国这片热土

一个人提升得越快，迎接他的天地就会越开阔。以前，对韩庚来说，念小学只是幼儿园的延续，念中学又是小学的延续，免去了选择的烦恼。可这次不同，中央民族大学毕业前夕，韩国最大的造星工厂 SM 公司在北京拟举办一次公开选拔赛——"H.O.T. China"选秀。选中的人有机会去韩国发展。在韩流风靡中国的当口，这一消息的公布，吸引了无数年轻的中国孩子。

这无疑是一个难得的机会，而此时三项选择正像一团乱麻困扰着韩庚，使他

一连几夜都没有睡好觉：上海金盾艺术团已向他伸出了橄榄枝，工作稳定，每个月工资 5000 元，这意味着后半生可以过得波澜不惊；他想考大学，大学校园生活是诱人的，会让人的基础更扎实；参加韩国 SM 公司的选拔，即使被选上，也是一次严峻的挑战，因为中途有可能被淘汰，要真是这样，肯定会给他以后的人生带来许多麻烦，但他心里又实在羡慕 H.O.T 前辈们帅气的样子，倘若不搏一下就放弃，说不定他会后悔一辈子。

当时韩庚才 17 岁，在几经纠结后，他决定拼一把。他觉得年轻就是最大的优势，说不定真的能拼来一个如太阳般亮灿灿的未来！他下定了决心，但说服父母成了最大的难题。韩庚的父母都是比较传统的人，他们和其他家长一样，强烈地希望孩子能成龙成凤，可是孩子越大，他们爱恋孩子的心越浓烈，也更希望孩子能在身边，他们能随时随地加以照料。孩子平步青云风风光光当然好，但那可能要付出极大的代价。在他们看来，孩子完全不必吃那么多的苦，平稳踏实的日子才真正称得上好日子。

韩庚懂得父母的一片舐犊之情，可是他也希望父母能够理解他，年少时要是不去闯荡，机会就不会再来了。于是他整天缠着爸爸妈妈，和他们聊天，给他们做工作。可爸妈横下一条心就是不同意。无奈，韩庚只好拿出儿时的调皮劲儿，好几天不吃饭，就算妈妈做了他最爱吃的排骨串，他也说没胃口。见儿子铁了心要去韩国，几天以后，父母终于松了口。不过，他们提出一个附加条件：一旦不行，马上回国考大学。爸爸妈妈认可了韩庚的"年轻是优势"的说法，即便失败了，也还有退路。顿时，他的"胃口大开"，一块排骨串眨眼间就下了肚。

爸爸妈妈的"附加条件"并没有给韩庚心理上带来"附加负担"；而且，其他参选者全都是名牌大学的本科生、研究生，考得再好也是理所当然的。因此，韩庚考试的时候特别放松。考官说：你跳个舞吧！他就跳了一个。考官又说：你再跳一个吧，即兴一个。他就即兴跳了一个。考官依然在那里说：给你随便放个音乐，你再跳一遍。他说行，再跳一遍。考官还要看他舞蹈以外的东西，

韩庚语录

如果你能把一件事情化繁为简，就能让自己轻松一点，简单点活着挺好。

说：你唱一支歌吧。他只学过舞蹈，从没有系统地学过唱歌。他想："应该怎么办啊？也没有什么。"就随便说了句，"唱《月亮代表我的心》吧！"

考完回校，他就将这事放下了。韩庚不知道，命运的转盘就在他走进考场的当天悄悄旋转了方向。

时隔半年，正是他快要毕业的时候，他正筹划着考大学。一天，没有任何征兆地，韩国那边来电话了。当时韩庚正在上网打游戏，他的一位同学、也是要好的朋友过来对他说："韩庚，韩国那个公司好像找你，说你已经被选上了，要签合同。"韩庚玩得正起劲儿，说："你别瞎说了，我才不信呢，今天可不是愚人节。"同学说："我是谁，是你的好朋友，还会骗你！你快回去吧！"他依然一点儿也不在意，说："等会儿。"

过了一个小时，游戏打完了，韩庚回到宿舍。朋友给了他一个电话号码，那是他后来的经纪人的电话号码。他把电话打了过去，说："是 SM 的李宇龙先生吗？我是韩庚。"李先生热情地说："韩庚你好！你已经被选上了。"这下他终于相信了。

终于有了结果，韩庚的高兴劲儿就不必说了，因为这意味着他成了万千少年中有幸能亲赴韩国接受全方位包装的三位中国少年之一。他看着窗外，阳光是那么明媚，树叶是那么碧绿，似乎每一个人都在为他高兴着，世界是那么灿烂……

经纪人在电话中还告诉他，这次考上的比例是 3000∶1。"跳舞棒、唱歌好、长得帅、人品佳。"李宇龙先生诚挚地给了他这样的评价。

带着初生牛犊的清新和锐气，带着对大千世界的渴望和憧憬，2003 年 3 月，年仅 19 岁的韩庚前往韩国，进入 SM 开始练习生生活。他想，即使前面是未知的大海，浪涛澎湃奔涌不息，我也一定要"弄潮儿向涛头立，手把红旗旗不湿"。

🎤 连续练舞二十小时，骨折两个月却浑然不觉

越是接近梦想，道路越是艰辛，也许这就是人们所说的"黎明前的黑暗"吧。成功更是一种坚持，而坚持的人生之书上写满的是"忍耐"。

"自拼热血洒高穹，只手扶大日月中"，忍耐是一种拼搏，拼搏才能达到一种境界。到了韩国，语言、衣、食、住、行……以前都不是问题的问题一下子成了让他非常头痛的心腹之患。首当其冲的是一句韩语不会，不能跟别人聊天，也不知道能跟谁聊天。虽然生活在同学之中，可他依然感到茕茕孑立。"思量，那日离故乡，记临期送别多惆怅""无心绪，更思想"，人在孤独时，往往思家的心思就会像洪水一样漫上来，但韩庚不能把自己的不适告诉父母。因为这是他自己的选择，他当时就明白，从决定来韩国的那一刻起，就注定他要一个人承受很多东西。

于是，练习生的生活里就只剩下了舞蹈，他想证明自己的选择并没有错。但更让他苦闷的是，他赖以来韩国的舞蹈似乎也和自己的语言一样，一点也不管用了。他在国内学的是民族舞，到了SM公司，所要跳的却是爵士、hip-hop、Popping、机械舞和霹雳舞等，而这些舞蹈，他在国内从没接触过。国内学的舞不跳就不跳吧，可SM要跳的舞蹈特别复杂、特别"搞怪"——跳起来时肌肉要配合着舞蹈节奏一动一动的；每一种类型的舞蹈，肌肉动的位置又有所不同。尽管作为中央民族学院舞蹈专业的高才生，他从儿时就没停止过强化训练，但到了SM公司，他不得不从零开始。

做好舞蹈训练，语言关是不可以不过的。只有与同伴充分交流，舞蹈练习进步才会快；生活中也不能总做"哑巴"，如果不和别人交流，日子会过得极其枯燥无味。韩庚果决地进了韩语班，学习、训练时间加倍，辛苦也成倍成倍地增长。周一、周三和周五的上午他要去上韩语课，下午要和同学们一起去上舞蹈课。如此，练习跳舞就只能在晚上了，一般吃完饭他就到训练房去，一直练到凌晨一两点钟。

多年的舞蹈练习习惯，让韩庚有种特有的紧迫感，这使他跳起舞来很容易进入忘我境界，进步也比较快。但语言学习就没那么容易了，韩庚的韩语进步不大，这让他十分着急。可着急也没有用，只能下苦功夫。于是，他每天把新学的单词和句子写在纸条上，再贴在墙上。新的纸条贴了上去，旧的纸条上的内容却仍然不会，结果贴得满屋满墙都是。深夜一两点，韩庚练完舞蹈才上床。但纸条上的单词得尽快掌握，于是他一遍一遍地背诵着。阵阵困意袭来，他坚持着，可实在太困了，不知不觉就睡着了……要知道他每天的睡眠时间只有四个多小时啊！

在没有韩语课或当天所学的韩语内容掌握得比较好的情况下，他会全身心地投入到舞蹈练习中。他的最高纪录是连续练习舞蹈二十个小时，这样四个小时的睡眠时间也不能保证了。见他如此辛苦，有人不禁问道："这是否是经纪人的要求？"韩庚说："这是我对自己的规定，因为常常会遇到表演，这时有已编好的舞蹈，要熟练掌握、精益求精，准备最完美、最好的演出。"

高强度的训练、强体力付出，但公司给予的生活费却很少。学员们每个月的生活费相当于人民币 300 块钱，比韩国普通人的生活开支少了一半以上。那时，韩庚从没有逛过街，每天就是公司、宿舍两点一线，既没有时间，也没有钱。韩庚去韩国时除了学费外，没带一分钱，因为经纪人说了，吃饭什么的都由公司管；再说，父亲在筹备学费时，东借西挪地，特别不容易；韩庚也曾跟爸妈说过，在中央民族大学毕业后不会再向他们要钱，并说会给他们寄钱。所以，他也不好意思再向爸妈要钱了，只能过着非常困窘的日子。

艰难困窘的时间里蕴藏着韩庚全部的梦想，而这梦想让他连疼痛也感觉不到了。体型偏瘦的韩庚在长期的练习中受过不少伤，他身上经常会出现瘀血，斑斑点点的，被同学取笑叫"梅花鹿"。那时候每每做梦，他都梦见自己要往家走。有一次，他的胳膊骨折了，可他并不觉得疼，甚至连骨折这件事当时他都不知道。

韩庚曾上过《鲁豫有约》栏目。接受采访时，鲁豫问："受过伤吗，在练舞的时候？"韩庚答："受过，当时确实也不知道哪儿受伤。有一天，我做俯卧撑的时候觉得胳膊很疼，去医院拍了片子之后医生说，你这儿骨折了。问医生什么时候骨折的，医生说两个月以前，已经长好了。"鲁豫说："啊？那两个月以前你干吗来着呢？"韩庚答："我不知道，没有感觉，觉得有点儿疼，心想坚持下去没什么事。骨折了又长好了，但长得有些歪了。一动的时候就'咯噔咯噔'直响。现在我觉得没什么影响，但如果

韩庚语录

" 我从来没后悔过，小时候我老爸一直这么教我，做事情，送事情，还有解决事，做了就不要后悔，你后悔，那你就没法再成功。"

稍微有一点做得不对的话就会继续骨折。"鲁豫问:"可是您老人家怎么能够骨折两个月不知道呢?"韩庚说:"有可能是动作实在太激烈,还有可能是专业的舞蹈演员平常练功受伤的机会很多,所以没在意。"鲁豫问:"觉得惨不惨?"韩庚笑了笑,说:"没有,我觉得我太幸运了。还觉得自己挺牛的,省了一笔钱。"

他的坚韧、他的不怕吃苦,其实是因为铭记着母亲的一次教诲。

儿时一年秋天的夜晚,他和同伴们一起玩捉迷藏的游戏。大家来到一个水塘边,不料韩庚一脚踩空撞到了水塘边一棵大树上,额头撞破一寸多长的口子,血流如注。回到家,妈妈给他擦了一些软膏。几天后伤口发炎,疼痛难忍,他忍不住哭闹起来。妈妈轻声说:"别哭别哭,男孩爱哭,不会长骨。"妈妈是说爱哭的孩子会没有骨气。他用手抹去眼眶中的泪水,对妈妈说他不哭,他要长骨气。这时,妈妈疼爱地在他脸上重重地亲了一下。从那时起,他就发誓要做一个有骨气的孩子。

"悠悠万世功,矻矻当年苦",任何成绩,都是由吃苦来的。凭着一股拼劲,韩庚在短短半年内就从最低的 C 班升到了 A 班。他自豪地说:"那时候,能够升入 A 班的就只有三个人,我、东海,还有恩赫。""径折全疑尽,峰回陡自开。苍然万山色,忽拥岱宗来",他终于走过了一段崎岖险峻的道路,但接下来的也并非什么平坦之路。

做一个"闪光侠"，面具也遮不住灿灿光芒

🎤 面对封杀，也要作"最后"的闪烁

2005 年，SM 娱乐公司精心策划了"SUPER JUNIOR"组合，其成员主要是从各地选拔出来的擅长演唱、舞蹈、表演、作曲、演奏、T 台、MC 等的 12 名才艺出众的新人。他们分别是韩国的朴正洙（利特）、金希澈、金钟云（艺声）、金英云（强仁）、申东熙（神童）、李晟敏、李赫宰（银赫）、崔始源、李东海、金厉旭，中国的韩庚，美国的金起范。韩国的曺圭贤于 2006 年 6 月加入。韩庚作为其中唯一的中国成员，并且是第一位正式在韩国出道的中国人，成为组合的亮点。

这个组合主要是面向亚洲，从韩国开始，而后到中国、日本等亚洲国家和地区演出。他们个个握有灵蛇之珠，人人抱有荆山之玉，公司很看好他们，队员们对自己的期许也很高。

2005 年 11 月 6 日，"SUPER JUNIOR"组合以人气歌谣《TWINS》正式出道。该组合出道的第一场演出如梦幻般完美，队员们下了舞台就抱在一起哭了。他们庆幸自己的努力没有白费，尤其是韩庚，他是那样俊朗帅气，那样充满活力和朝气，闪烁着富有质感的光芒。而作为领舞，当队员们围着他翩翩起舞时，那情景就如同众星捧月一般。

正在韩庚庆幸自己当年的选择，要将舞蹈的光挥洒给天下千千万万观众时，

"签证问题"严酷地摆在他的面前：SM 公司办的签证一般都是旅游签证，有效期为三个月，他们给韩庚办的也是这种签证，当时他并不知道这些。

有一天，经纪人突然叫韩庚和他一起去趟外国人出入处。韩庚并不清楚去做什么。到了外国人出入处，工作人员问了韩庚好多问题，比如他参加过什么演出、拍过什么广告、上过什么杂志。韩庚据实说了。工作人员说，他得先交罚款，因为他没有正当手续，也没有演艺签证。当时，韩庚是 SM 娱乐公司里第一个从外国来的艺人，公司也不知道国外的演艺人员去韩国是一个什么样的程序、要履行哪些手续，这样就违背了有关规定，甚至触犯了法律。听工作人员这么一说，经纪人蒙了，立即向出入处认错，并对韩庚说："从今天结束后，你在韩国不能演出了。"韩庚仿佛被人狠狠推了一掌，他感到好心痛，马上哭了，说："完了，这才刚刚开始，就被封杀掉，不能演出了。"

他哭得好伤心，经纪人不住地安慰他，可越是安慰，他哭得越厉害。不过，很快韩庚就想到即将到来的演出，他要重新补妆、重新做头发。也许别人听到这样的消息早就趴下了，可他要站得更直些。他想：这是我在韩国的最后一场演出，一定要竭尽全力，要让所有韩国的歌迷知道有一个中国的韩庚在舞台上，要给他们留下一个深刻的印象。

演出如期进行，果然，这场演出让台下掌声不断，有许多人还一次又一次地为韩庚欢呼。

是成绩就得亮出来，是光就要让它闪烁。不论在什么情况下，就像种子始终要从泥土中钻出来、夜晚过了就是白天一样，以自己的运行轨道运行，你就必然会在这宇宙中占有一席之地。

🎤 心中有光，戴着面具也辉煌

好不容易成为"SUPER JUNIOR"组员中唯一的中国人，韩庚却收到"外国人在韩国不能商演"的通知。接下来就是 264 天焦心的等待。

等待的时间比做练习生时还要难熬，每天韩庚就只能孤零零地看着金希澈赶通告。当时大家正在表演一个叫作《幸福》的节目，看着大家"幸福"地穿着红彤彤的舞台装在舞台上《幸福》着，自己却只能无聊地待在家里，韩庚心中很不是滋味。后来他又想，不能让大好的时光白白浪费掉啊，于是他开始练舞蹈。时间似乎不那么难熬了，舞蹈上的进步也让他的心情好了不少。

当然，韩庚也给自己留出了"休闲"的时间，比如上网安慰歌迷、打游戏、看歌迷留言……

就在他调整心态耐心地等待签证问题解决时，又发生了一件事，让他的心情更为沉重起来。那天，队友们回到驻地，一个个垂头丧气。一打听，原来因为他这个领舞不能登台，队友们的演出显得极为散漫和零乱，有时观众还会喝倒彩。

韩庚对经纪人说："这些天我了解到，按照韩国的法律，外国人可以戴面具登台，我就戴了面具去演出吧！"经纪人说："这样就委屈你了！"经纪人说的是他将只能做"无名英雄"。

于是，在 KM 电视台的演出，表演的队伍中就有了一个带着黑色面具的男孩。人们看得出，他骄傲地、用心地舞着。"漫夸疏影爱横斜，铁骨凌寒笑腐鸦"，没有人看见面具背后是否还是那个安静的微笑。可是面具一揭开，那个微笑就像斗寒的梅花，明媚地绽放开了。

🎤 只要舞台，找到自己的追光

他因为爱舞蹈而有梦，因为有梦而让生命飞扬。

有人曾问韩庚：为什么跳起舞来那么投入，连疼痛也"顾不上"？被"封杀"了也毫不气馁？他说："因为喜欢呗！"究竟喜欢什么，他答不出来。后来，他知道答案了，那就是舞台上的追光！

韩庚不想像有的演员那样，一辈子也追求不到真正属于自己的追光、永远只做一位群舞演员。他要把那道追光作为自己的目标，然后一步一步向前，扎扎实实地找到属于自己的追光，有志者事竟成，他幸运地找到了。

得到追光后，韩庚并没有停歇，而是一如既往地努力。在追光下，他把自己表现得更加突出，使得那道光永远跟随着他、照亮着他，从而让他变得更加自信，他的人生也更加光芒四射！

在经过了264天的磨砺和历练之后，他对舞台更加眷恋。大家能在同一个舞台上，尽管只能戴着面具，对当时的他来说，已经足够了，这本身就是一种幸福。

幸福是什么？幸福就是追求自我人生的光芒，追求祖国及人类的光芒。当一个人的目标是追逐光明时，黑暗也就会离他远去，幸福也就会环绕着他……

韩庚 《寒更》·曙光初启于极夜一瞬间

放低姿态，"滥"用敬语

🎤 "嘿，厨艺跟厨师没两样的哥哥"

蔡康永在一本书里写过："人不该把感情放太前面，觉得要依赖强烈亲情、爱情、友情才能支撑下去的人，是弱者。"由此韩庚说："所以我可能还不算强者……生活上我总会有被感情牵绊的时候，都说娱乐圈会让人无情，可我还是宁愿相信，人与人之间只要真心对待对方，对方也会很真诚地回馈你。"

韩庚这样说，也是这样做的。他对人很真诚，尤其善于关照人。韩庚有一手好厨艺，东北菜、北京炒饭做得特别好，什么川菜、湘菜、粤菜也能来两下子。有同学家来了客人，或者大家想打打牙祭热闹一番，韩庚就会围上围裙开始操刀。有人说他那时真像一位"老大妈"，但吃过他做的饭菜后，就会向他伸出大拇指："不是'老大妈'，其实你就是厨艺好得跟厨师没两样的哥哥。"

东海在日记里写道："总是在大家都疲惫的时候还麻烦你做菜给我们吃，真是对不起啊！"韩庚不怕出力出汗，但最怕别人夸。怕人夸，人们还是要夸他，不仅仅是夸，而且形成了一种共识："要是哪里变干净了，肯定是韩庚收拾的。"因为往往在同学们夸他的时候，他则不声不响地去打扫卫生了。

🎤 "啊，你怎么说自己也用敬语啊"

谦虚、让人，也有被人误会的时候。韩语难学，他最初是没有意识到的。刚开始，韩庚觉得韩语挺简单的，拿个写着"阿尼阿塞哦"的小纸片还挺管用。在经理人的教导下，他仅用了两个星期的时间，就可以和当地人进行简单的问候交流了。

正在他暗自高兴时，却遇到了"麻烦"。一天，公司里有人议论他："这个中国小子毫无礼貌！"这可真是冤枉，平时打茶、扫地、抹桌子等杂活儿，他总是抢着干，怎么就"毫无礼貌"了呢？他有些想不通。

后来他终于明白了，原来韩语的规矩还挺多：对长辈和要尊敬的人得用敬语，同伴之间用伴语，比较亲近的朋友之间聊天的用语也有所不同。而韩庚当时只会说伴语，不管跟谁，"一视同仁"地用伴语。韩国长幼尊卑的观念很强，伴语只能跟辈分相同的同伴说。韩庚哪知道对着长辈还得用敬语，这样就招来了误会，而韩庚说的韩语也一度引起公司人员特别是年长之人的反感。

说话也会让自己"失分"，他开始更加努力地学韩语。除了必要的演艺培训外，他每天都要拿出十多个小时来学习韩语，凭着这份坚持不懈，没多久，韩庚就能说一口流利的韩语了。掌握韩语后，他和人说话一律用敬语。过去是分不清哪用敬语、哪用伴语会引起误会，现在能分清了却以谦恭之态跟所有人用敬语。父母就曾告诉过他，"小心无大差""礼多人不怪"，但说习惯了、说顺了嘴，有时说到自己，他也用上了敬语。人们疑惑了："你怎么对自己也用敬语啊？"这种"自我尊敬"，其实是"放低自己"而不慎时的产物。

韩庚说，这样的"产物"很长时间都会存在于他的韩语中。看来，谦恭也是一种固执。

🎤 "呀，你瞧人家不是外国人吗"

放低自己，成了韩庚消除误会的屡试不爽的好招数，也成了他与人结交的润滑剂。

由于韩庚把心思都放在了练习舞蹈上，免不了丢三落四，让他显得有些"记性不好"。在朋友家，把手机落在那儿了；有人让他买练习棍术的棍子，结果给人家买了项链……这种事发生的次数多了，他也会自嘲："我头脑不好，大家就多包容一点好了，哈哈哈。"

别看韩庚在舞台上星光熠熠，平时他一紧张就会说错话。比如：他会时不时地冒出一句东北话；庚式韩语一出口就能让同伴们乐和一阵子；最后是他那"万恶"的英文，让他在《FULL HOUSE》录制的时候吃了不少苦头，因为同伴们见他说错了就会惩罚他，什么刷碗、做饭或其他能想得出来的招数。一次，他在英语村里，有人问他：你来干什么？他用中文说了一句"观光嘛"。光天化日下，同伴们便在他的鼻尖上贴上纸条，让他"招摇过市"。

不过还好，他有一个万能的必杀技，让他讨到了许多"便宜"。每次同伴们嫌弃他或是拿他开心的时候，他都会说："呀，人家不是外国人吗！"这时，大家就会像圣母拥抱耶稣一样重新接纳他。

自己有劣势，不要硬扛着。当你把劣势亮在别人面前时，别人会看到你的那份率真，知道你是一个真诚的人，又有谁会在一些无关紧要的事上与你较真呢！一个真诚的人，对自己也会真诚。

长出翅膀，不忘感恩

韩庚爱哭，每次要见亲朋好友时，他都会对自己说："男儿有泪不轻弹，这次一定别哭，坚强些，给人留下一个硬汉子的形象！"可是情感的闸门根本关不住，一旦有了触发点，他的眼泪就会奔涌而出。比如，即将回国的时候，见到父母的时候，生日会的时候，与歌迷相聚的时候，和亲人、朋友分别的时候……他流下的都是感恩的泪水。

🎤 大房子和小饺子馆

到韩国以后，韩庚最想做的事就是给父母打电话。然而，每次想打的时候，他都强忍着，然后就是很久都不怎么跟父母通电话。不只是因为长途话费比较贵，也不只是怕耽误时间，而是怕露馅，他担心控制不住自己，让父母知道自己的日子过得很艰辛。"儿行千里母担忧"，他不想把自己的苦"传染"给父母。

当然，他也不想自己的信念和决心被父母"绕指柔"的爱给软化掉、消磨掉，他希望家人成为自己不断向前的动力。事实也正是如此，家人就是他每天最少 15 个小时练习的支撑。想父母了，他就唱韩国金范秀的那首《想念你》。

> "无论如何也无法阻止我对你的等待
> 像个傻瓜似的在你身旁哭泣着

即使遍体鳞伤也要继续不问缘由地执着等待着你

我根本离不开你呀……

想念你……想念你……

我是这么憎恨命运的坎坷

真想大声哭泣……乞求上天的怜悯……"

每当过年或者生病的时候，思念之情就会如泉水般涌出来，他就会一遍又一遍地唱这首歌，想象着和亲人们在一起时的情景。泪如雨下的时候，他依然能获得力量。

初到韩国，让人哭的触点太多。韩庚最迷茫的时候是每年练习生回国续约的那段时间。SM 公司的练习生很多，公司对他们实行淘汰制，坚持"宽进严出"的原则，竞争极为激烈。在 SM 公司，几乎每天都有新的练习生加入、旧的练习生离开。离开的，有的是因为训练成绩不好被淘汰了，有的则是实在受不了那份苦索性放弃了。有人报到、有人离去的现实，更激发了韩庚的决心和斗志——坚持下去，哪怕只有自己一个人。几次续签之后，当初一起从中国到达韩国的同伴们都离开了，真的就只剩下他一个人了。

到韩国的第一个春节，他唱着那首《想念你》，任思乡之情如洪水一般将他淹没……他再也坚持不住了，终于拨通母亲的电话，可一时间又怎么也说不出话来，就知道哭。韩庚在电话中一直哭了十多分钟，这才开口说了一句："妈，新年快乐！"他这是想家的泪水，也是战胜惶惑后喜悦的泪水。在韩国度过的最初那段时间，看着同伴们纷纷离去，他也曾彷徨过，也曾萌生退意，但他坚持下来了。

韩庚的意志之所以如此坚定，固然与他爱好舞蹈有关，但更重要的是他要以自己的成就来感谢父母。在韩国，每次想到当初为了学费，爸妈四处求人受委屈的样子，他就会告诉自己，绝不能半途而废。他要练出最过硬的本领，挣更多的钱，然后给父母买个大房子。

起初，韩庚挣的钱并不多，经过再三考虑，他决定在北京租一间房子，给妈妈开个饺子馆，这样妈妈就能有点事情做，也就不会觉得那么寂寞了。他再去北京，也方便母子团聚，省得每次有关他的消息母亲总是从歌迷的嘴里知道。歌迷们害怕韩庚出差错，一旦他有什么事做得不够完美，就会十分紧张。这样的反应让妈妈经常被吓得直哭。想起这些，韩庚就会很伤心，在他力所能及的时候，他想尽早让妈妈到北京。

他的这种做法也会被人误会。一次他去湖南，有个记者问他，让妈妈开饺子馆是不是有"抢钱的味道"。他听了挺无奈的，可又能说什么呢！只能报以微微一笑："咳，兄弟，那么小的店，抢啥啊？"他只是希望老妈能开心。韩庚说："不论我这个决定现在看来是对是错，总之，希望喜欢我的各位，也帮着照顾一下咱妈吧！哈哈哈……"韩庚在北京为妈妈开的饺子店叫"梅花"，取自"梅花香自苦寒来"。这是这些年来他对妈妈的一个交代及汇报。

都说儿子跟妈妈比较亲，韩庚跟老爸的感情其实一点也不比跟妈妈差，只是不太外露，因为他觉得父子之间就应该是那种男人之间的惺惺相惜，其中应该有一种硬朗霸气的东西。但说起来容易，做起来就不是那么回事儿了。每次爸爸为他送行的时候，父子俩总会故意装出一副"天下大任，舍我其谁"的豪迈状。然后说着、说着，到真要分开的那一刻，父子俩眼里都会闪着泪花……

这并不是父亲觉得"他长大了"、他觉得"父亲老了"这样一种简单的感觉解释得了的。亲情从来不简单，它是丝丝缕缕，是绕指柔，是点点滴滴在心头。中国人一向含蓄，当有一天导演要求他对爸爸说出"我爱你"的时候，话语临出口，却变成了一句韩语。韩庚说："爸爸，虽然可能您听不懂，但是心意请您收下。老爸，请一定要健康啊！"听不懂韩语的父亲，又一次哭了，比哪一次哭得都厉害。

韩庚 《寒更》·曙光初启于极夜一瞬间

🎤 就算天塌下来，还有个窟窿可以躲

韩庚的性格不是很外向，下了舞台之后，他的话很少。他从小就是这样的性情，有事儿喜欢放在心里不跟人说，大多是在跟兄弟聊天、吃东西或喝茶时聊些心思，用他的话说，"我是很不喜欢往外泄露个人心里想法的人"。他最害怕别人夸他，做了好事就躲到一边，更不会向人表功。如此被动的性格，让他觉得交到朋友不是一件很容易的事。但是上苍有安排，让他加入"SUPER JUNIOR"，一下子就有了 12 个兄弟；再加上以前做练习生时与他同住一个宿舍的 TRAX 的X－MAS，还有东方神起的允浩等。也有朋友说，韩庚不愿意对别人花言巧语，这样在娱乐圈生存很容易吃大亏。可他说，"我不是很幸运地交到了这么多知心朋友吗？每当自己有困难想不通、解决不了时候，跟朋友聊聊也就豁然开朗了。"他胸中怀有一颗感恩之心，他曾说："是朋友让我知道，就算天塌下来，有朋友也会戳出一个窟窿让我躲着。"

与朋友相处，付出时他开心，得到朋友的帮助时他也开心，他们在一起，总是热热闹闹、融融熙熙，就像亲兄弟一样。他有个室友名叫金希澈，给了他很多帮助。金希澈生于 1983 年 7 月 10 日，因拥有如花外貌，以及出众的口才与艺能感，有着"宇宙大明星"之称。不知不觉地，韩庚跟金希澈一起住了快五年。他觉得金希澈很神奇，既可以和自己一起喝酒吃紫菜包饭到天亮，也能为自己舞蹈事业上的事通宵达旦。

就说签证的事，韩庚在韩国两眼一抹黑。金希澈凭着自己是韩国人的优势，为韩庚找人弄清相关程序。金希澈会在完成紧张的学习与训练任务之后，不顾疲劳地与他商量着怎么办。只要金希澈能做的，就算做到天亮，他也不会喊半声累。这让韩庚感动得直想哭。

由于金希澈对相关部门比较熟悉，有些事情本来应该是韩庚去办的，金希澈就包揽下来。金希澈为韩庚做的太多，有些事，私下里韩庚还真难以说出口。金希澈说，他们之间"已经超越了用语言表达的阶段，只要韩庚露出一个眼神，我就把他的心思读懂了"。接下来，金希澈会说："这又有什么，你尽管对我说，你

这点儿破事对我来说，还不是小菜一碟吗！"

金希澈对韩庚总会溢美之词不离口，他在电台节目里经常赞美说："韩庚的脸是一刀刀刻出来的雕塑，很有感染力，他很有才华。"金希澈后来基本上以模仿韩庚说话为乐趣。

"不会交朋友"的韩庚人缘却特别好，几乎所有的人都会支持他、理解他，其中不乏敬重。很多时候，韩国同学从队里回家陪完家人，会在半夜打电话约韩庚出去玩儿。过年时，他们也会尽可能地抽出时间陪韩庚，让他少些思乡之苦。韩国同学的妈妈和爸爸做了好吃的，他们就拿到宿舍和韩庚一起分享，这让寂寞的韩庚心里感觉好温暖。

队友崔始源在中国留过学，在韩庚刚去韩国的时候，崔始源给了他很大的帮助。在综艺节目《情书》中，韩庚认识了韩国著名综艺节目主持人姜虎东，身材胖胖、可爱的前辈姜虎东对他很照顾。金钟民表示，韩庚的出现改变了他原来对中国不了解的状况，让他觉得中国朋友很值得一交。李正、TIM 等人也都成了韩庚的好朋友，对他称赞不已。还有强仁，当韩庚在金铃的节目里跳民族舞的时候，强仁脸上的表情是无比自豪，就像在说："看到了吧，这就是我哥，非常了不起！"而韩国演艺界的前辈们，用一句话来说——对韩庚是集体的宠溺与喜爱。前辈尹正秀也曾在网络上公开表示："年纪轻轻，却那么谦虚，我喜欢这孩子！"

在韩庚 22 岁生日当天，已回到中国的韩庚收到 SUPER JUNIOR 其他成员邮寄来的一盒记录着他们各自深情祝福的录影带。其中，组员强仁说："韩庚哥这次生日，希望一切都顺利，不要生病，多和父母在一起。健健康康地好去好回，回来以后再和我们 SUPER JUNIOR 其他成员一起，为了给大家展现更好的面貌而努力。"兄弟的一份份情谊，如冬日的炉火般暖在韩庚的心头。

韩庚从不相信尔虞我诈是娱乐圈的规则。他觉得人有时候就像一面镜子，就像有回声的山谷，你对别人真心，别人也会真诚地对待你。

有一次，天已经比较晚了，韩庚请大家吃他做的北京炒饭。当天韩庚在练习中受了一点小伤，却坚持轻伤不下火线。可以想象得出，他练习得特别辛苦。所以，有人根本不相信，在那样的情况下，他还会为大家做饭——他们不相信，还因为那天正好是愚人节。但ELVA很快站出来，以不容置疑的口吻说："韩庚不会说谎。"韩庚当时听了眼泪唰地就下来了，金碑银碑不如口碑啊！

韩庚对爱情憧憬过，他说，那天在MINI演唱会上他失态了，情绪过于激动……因为他跟利特大嚷："我也想结婚了啊！毕竟我都24岁了啊！"虽然说起爱情他很激动、有些失态，但他还不曾知道爱情是什么滋味。因为长得帅，读小学时就有很多女生"追"他。不过，那根本算不上是爱情，那只是年少时对异性充满着的神秘感和好奇。而腼腆害羞的性格，总会将这种懵懂的情感小火苗儿掐灭。

后来，韩庚也交过女朋友。他觉得那女孩儿不错就相处下来了。因为他总是害羞，在一起别说拉拉手什么的，就是亲密的话也不多说，这段青涩的爱最后以分手告终，但他们却像普通朋友一样常常联系。有人对韩庚说："你根本没爱过，因为爱一个人是不会计较害不害臊的。"他点了点头说："是。"

也许是因为从小就离开家的缘故，逐渐自立的同时，韩庚对家也有了更多的渴望。他曾说过：等自己成了家，希望它能是稳定的。如果是演戏呢，每天自己下戏回家，然后妻子准备好饭菜，虽然没什么波澜，但是却很温暖。如果他的档期空出来，就可以带爱妻去旅行，到处玩一玩放松一下，回来后继续精神百倍地投入工作。不过当时的他完全没有能力实现这个稳定，所以也不想在感情上花费太多的精力，顺其自然吧……

🎤 五千万歌迷同享快乐，人生最幸福的事莫过于此

"给你穿越风雨的力量，你的微笑是我们的信仰，快乐忧伤有我们和你分享，我们的爱是你的翅膀。给你穿越风雨的力量，你的幸福是我们的愿望，一起打造一个属于你的天堂。"这就是韩庚歌迷的心声。

韩庚说："我不敢想象如果没有歌迷的支持，今天的我是什么模样，真的很感谢你们为我做了那么多，付出那么多，所以真心希望你们能幸福开心。"

韩庚一出道，就遭遇一连串的不公平。作为外国艺人，他只能签三个电视

台，其他人可以上的节目他也不能上，这直接导致他表现的机会越来越少。慢慢地，韩国观众似乎把韩庚淡忘了。但中国国内的影迷心中却如同被小刀一刀一刀划着，心中想着的是，一定要为他争取个公道。

其实，国内的歌迷一直关注并支持着韩庚。当他还是练习生的时候，祖国的"粉丝"或者"庚饭"就以博客和他联系。每次看到博客上那些来自祖国的亲切问候，韩庚都会感动不已。当时他还没有自己的电脑，只能在公司上网，没有中文输入法，他就用英文打拼音。就在韩庚22岁生日那天，国内的歌迷组织通过韩国留学生将一台有中文输入法的笔记本电脑送到了韩庚手里。拿到礼物的当天，韩庚留言了，第一句就是："终于可以用中文留言了！谢谢你们！"

韩庚原本是SM对市场开发的"新型武器"，可一出道就被韩国限制，在韩国国内没有太大反响。这让SM公司吃惊不小，于是公司做出了一项试探性企划——"4月韩庚中国行"，他们要检验韩庚还有没有价值。

中国的歌迷们清楚，这个企划对韩庚的未来举足轻重，它无疑是对韩庚的一次重要考验！"庚饭"们慌了。2006年4月24日，SUPER JUNIOR的首个中文站的管理员们迅速召集北京"庚饭"，决定要给韩庚一个隆重的欢迎仪式！

韩庚下了飞机，看见有那么多人接机，不禁吃了一惊，同行的经纪人却露出了笑脸。在接下来的几天里，粉丝们给了韩庚最热烈的回应。韩庚笑了，那是发自内心的笑。回到韩国后，韩庚的笑脸上添了更多的自信。

从此，韩庚的人生柳暗花明。2006年5月，组合推出单曲《U》。此曲一出，SUPER JUNIOR正式晋级为继东方神起之后的韩国第二大天团，韩庚开始频频出现在韩国各大综艺节目中。在综艺节目《FULL HOUSE》中，韩庚表现出无限的纯真与善良，受到韩国男女老幼的一致喜爱。韩庚淳朴自然的形象深入人心，在青少年中更是受到爆炸性的喜爱。这使得《FULL HOUSE》的收视率节节攀升，而韩庚的人气也开始直线上升，并以第一名在韩国本土出道的外籍艺人身份进入韩国主流演艺圈。

随着韩庚人气的飙升，他的歌迷越来越多，包括中国的和韩国的。"庚饭"中，有学生，有老师，有家长，有兄弟，有母亲，最小的"庚饭"才六岁。人们粗略估计，他的歌迷至少有 5000 万。

有歌迷将他从《Twins》开始，到戴面具的《Miracle》《U》等演出的视频和照片，以及他爸爸送他到机场分别时拍的视频，做成一张碟，并配上音乐，送给他。看到这张 CD 时，他哭了。这张 CD 成为歌迷们送给他的最珍贵的礼物。

韩国的粉丝不受韩国一些"爱国者"的干扰，就是要把支持的票投给韩庚。他也收到了韩国歌迷的一些很奇特的礼物。一天，他从公司回宿舍，路上，一位女歌迷拦下他，拿出一个盒子，说："哥哥，这是给你的礼物，你拆开看看吧。"他就拆开了，还拎了出来——红内裤，他当时就塞回盒子，说了声"谢谢"，红着脸转身走了。后来发现还有一条，好像是绿色的。内裤上还绣着他的名字，左边是 SJ，右边是韩庚。那两条内裤他从来没穿过，一直珍藏着。

还有让他尴尬的，是韩国的一位女粉丝让他"吃口香糖"。那天他在路上走着，忽然有个歌迷跑过来说："哥哥，你真帅。"他说："谢谢！"说完，觉得挺高兴的，乐呵呵笑着……女孩灵机一动，要让他永远记住这一幕——转头之间，女孩从嘴里拿出一块口香糖直接塞到他的嘴里。韩庚当时就愣住了，不知道是该吐掉还是吃下去。最后，他还是把口香糖拿了出来，没有说话，而是看了女孩一眼，他真的不知道该说什么了。那女孩儿也不说话，一直笑。

有个女孩儿三天三夜一直在一个地方等着他。女孩儿有一大包东西，但每次遇上他只给他一点儿，一般是口香糖，当然是没有嚼过的；还有矿泉水、面包、小饰品什么的。一大包就放在那儿，一连三天三夜等着他。韩庚问："你不去上学啊？"女孩儿说："我现在放假了。"每次给他一点儿，就是想和他多见上几面。

有的小姑娘第一次见到他，特别激动，就是想握握手什么的，这时韩庚显得特别"弱势"，通常是现场的其他歌迷看不下去了，提醒一句"韩庚快跑！"他才撒丫子"踢踢踏踏"地一阵乱跑，这才"化险为夷"。歌迷们不提醒他，他绝对想不到"三十六计，走为上计"。"庚饭"们说，他们唯一看走眼的就是对他的情商估计过高。

> **韩庚语录**
>
> 我一直这么比喻，我现在还是一棵小树，很高但很细，随时都会倒，有可能明天就会倒。我希望做一个树桩，很矮，但很粗很稳定。

韩庚总说自己是"逆生长"。有人不懂，问他："什么叫逆生长？"他说就是"弱智"。如今，没人的时候，他总喜欢摆弄一些玩具，比如芭比娃娃、七仔，他的钱包上还挂着一个变形金刚。一次演出，"庚饭"们上台表演，由于手拿灯牌太麻烦，于是对韩庚说："你帮我拿下。"他二话没说，默默地拿了灯牌站到自己的"粉丝"后面。

韩庚没有架子，不骄傲。他住的房子是普通的两室一厅，不加修饰的白墙，木地板，一进门就是十几平方米的客厅，客厅里摆满了各种歌迷协会的会旗、条幅和宣传品，当然也有他不同时期的照片，看上去更像一个"粉丝"的房间。

"庚饭"们还给韩庚起了好几个小名儿，"庚宝儿""韩三岁""吃货""迷糊"……歌迷们喜欢他，又因这喜欢而对生活中的韩庚特别了解。在韩庚看来，所有歌迷对他礼貌还是"不"礼貌的举动，都是对他的支持和爱。因为有了这些歌迷的爱护，他曾获得"韩流中国·十大梦中情人"的第三名。但韩庚从来不会把别人对他的支持和关心看作是理所当然的。有一段时间，他经常在东南亚各国飞来飞去。每到一处，韩庚都会在中国 CY 上给歌迷报平安，问候歌迷"身体好"。歌迷给他的信他全都会看，他觉得中国的歌迷就跟家里人一样，哪有不看"家信"的道理！

每次回国，韩庚的歌迷们总会盛情地迎接。每每这时，心里的什么苦啊、累啊的就都消失了。他把大家送的礼物全都完完好好地带回去，光是信件，他家里就有四大箱。在韩庚的心中，他就是歌迷们的哥哥，大家就像亲人一样，分担忧伤、感受彼此的快乐。他说："人生最幸福的事莫过于此吧！我能为你们做的确实不多，想来想去，也真的只能用舞台来偿还了，我会全身心投入到我的事业上，希望大家可以不断地看到我的进步，看到一个全新的韩庚。"

韩庚没食言，他的演技越来越炉火纯青。2010 年 7 月 17 日和 18 日，在北京北展剧场一连两天举办"庚心"个人演唱会。开票时，在短短的 37 分 16 秒内，所有的票被抢购一空，创亚洲在线最快抢票纪录。

第 19 届 MTVEMA 欧洲音乐大奖揭晓，以亚太地区最高票当选"亚太最佳艺人"的韩庚击败蕾哈娜等国际巨星，最终获得"全球最佳艺人"，成为

MTVEMA 历史上第一位获得该奖的中国歌手。韩庚凭借着 2012 年的全新专辑《寒更》，获 MTVEMA 千位欧洲评审认同，入围全球最佳艺人 "Worldwide Act" 奖项。《寒更》是韩庚的第二张个人专辑，"寒更"意为极夜之光，是黎明来临前黑夜的最后一瞬间，也是曙光初启于极夜的一瞬间。在这张专辑里，韩庚化身为斗士，为希望而战，破寒成更，为光明一瞬间的来临，坚持不妥协。这样的专辑没有不获奖的理由。

2012 年 12 月 8 日晚，韩庚不仅亮相"感恩 5000 万 群星咪咕汇"第六届中国移动无线音乐盛典咪咕汇，更入围音乐盛典多个奖项的提名。他说，正因为有了 5000 万歌迷对他的支持和爱，他脚下的路才走得顺坦起来。

韩庚还把对父母、亲朋、歌迷的感恩化作对更多人的善行。在 2008 年 5 月汶川大地震后，他主动献血，而后携手为其代言的江西抚州市珍视明品牌向灾区捐款 680 万元。伦敦商业金融学院 CEO 还特为韩庚颁发公益奖杯，以感谢他对公益事业的投入与推广。

🎤 获登太空资格，"庚饭"们再度疯狂

爱挑战的韩庚在马年到来之际又有了惊天动地的大动作：他要遨游太空，以实现自己的太空梦，更是为日益强盛的中国做一回"宣传大使"。这可以说是更有意义的公益行动。

中国拥有世界上最强大的专业太空探索团队，却还没有普通人登上过太空。一向爱好极限运动的韩庚心动了。刚好有个机会就摆在了他的面前。这是一个名叫"凌仕太空行"的活动，由联合利华跟美国太空探险公司举办，拟在全球 60 个国家和地区挑选 23 个普通人，并免费将他们送上太空，其中中国区 1 人。韩庚毫不犹豫地报了名。

知道韩庚报名后，"庚饭"们为之疯狂，更多的普通网友则表示"不太可信"，"普通人那么容易就上太空？""韩庚真有那么厉害？"，一时间，各种声音混杂在一起。

经过层层选拔，2013 年 12 月 2 日至 5 日，来自全球 60 多个国家的 100 多名选手汇聚在肯尼迪航天中心的凌仕太空训练营，由登月第二人 BUZZ Aldrin，以及 SPACE XC 公司的专业航天员负责训练和测试。

训练测试中，最让韩庚印象深刻的有两大项。其一是 9 项运动测试挑战体能极限，几乎是要累倒在训练场，全靠意志力在支撑身体完成所有训练；另一项是测试 Aircombat 体验零重力和 Gforce，跟着飞机俯冲、螺旋下降、360 度打转，上升的时候甚至体验到 4 倍重力，在当时抬手都很吃力，俯冲的时候更是有强烈的失重感。这些挑战人类身体极限的测试，韩庚挺过来了，也让他受益匪浅，他觉得非常过瘾。

通过在热情、勇气、团队协作、太空知识和体能方面进行裁判，决出了最终能够登上太空的 23 名普通人。因在测试中的不凡表现，韩庚最终获得登太空的资格，并且在 2014 年度内，择时与另一名中国人完成这一梦想。

韩庚要上太空的消息一经传出，"庚饭"们再度为之疯狂："我们期待他在太空开场演唱会！"是的，只要可能，韩庚一定会满足"庚饭"们的愿望，在国际空间站引吭高歌。

135

韩庚 《寒更》：曙光初启于极夜一瞬间

多栖演员的梦想

韩庚以前就是想跳好舞，也唱唱歌，随着视野的不断开阔，他又有了当一名演员的梦想。这样的愿望在韩国很难实现，但机会最终青睐于他。

在张力尹的 MV 中，韩庚出演了正气凛然的警察，同时又是一个温柔体贴的情人。他在片中的精彩表现一点儿都不逊色于已经出演过电影的队友崔始源，令人刮目相看。其中有个被枪打中头部成为昏睡的植物人的镜头。在医院里面，导演说："你躺着就行了，讲了半天的戏还是躺着睡觉，之后就睡完了。"而在此之前，为演好角色他已经两天两夜没有睡觉了。

一个人努力了，就会"水到渠成"。曾经和他合作过的林锦和导演夸他是"韩一条"，表演很到位，绝对是 360 度无死角，是个演技派。现场拍摄时，所有的工作人员都很喜欢淳朴敦厚、亲切随和的韩庚。与他演对手戏的女演员李妍喜，提到韩庚时也立刻笑靥如花。

2008 年 10 月 12 日，韩庚进入央视迎春励志剧《青春舞台》剧组。13 日，他的第一部电视剧《青春舞台》正式开拍，同时他还演唱了片头曲《青春梦想》。这让韩庚以影视人的身份在观众面前又火了一把。

2011 年 9 月上映的高晓松的电影《大武生》反响并不热烈，但韩庚在其中的表现却颇为突出，屡获各界好评与肯定，成为电影界的一颗新星。韩庚也正式以演员身份出席了上海电影节、纽约中国电影节等活动，并首赴印尼宣传，人气爆棚。

可惜，拳脚功夫的表演难以让人琢磨出内心戏。在赵薇导演的处女秀《致我们终将逝去的青春》中，韩庚扮演了一个性格隐忍的角色——林静。韩庚坦言，在他刚进剧组的那一个月，赵薇一直在教他如何处理角色。"作为一个从

演员起家的导演，赵薇姐很清楚要如何很快入戏。"他说。最初，当赵薇伸来橄榄枝时，韩庚觉得"赵薇是玩票"。可开拍之后，她那股认真劲却叫他不得不佩服，他拍起戏来也更努力了。有一次，13个镜头的戏拍了整整一夜。还有一次，出于拍摄要求，他整个晚上都在路上不停地走，也有在电话亭边待上一整夜的情况——但他辛苦却快乐着。

《致我们终将逝去的青春》于2013年4月26日全国公映，受到观众热捧，仅内地票房就高达7.09亿，其中韩庚的贡献份额绝对不小。

2013年12月初，他在完成这一年第三部电影《寻找罗麦》的拍摄后，马不

停蹄地赶往美国奥兰多，进行期待已久的 NASA 太空训练和测试。

2014 年 1 月 31 日，韩庚主演的电影《前任攻略》上映，票房破亿。6 月 27 日，韩庚参演的电影《变形金刚 4：绝迹重生》全球上映，他在片中饰演一个坐在车里弹吉他的歌手，并以一句台词成为全片最大的彩蛋；韩庚还为该片演唱主题曲，这也是好莱坞电影首次将中文歌曲作为电影主题曲。8 月 22 日，在第 23 届中国金鸡百花电影节暨第 32 届大众电影百花奖新闻发布会上，因在电影《致我们终将逝去的青春》中饰演林静，韩庚获得了最佳男配角奖提名。

需要说明的是，韩国的娱乐业合约一签就是 13 年，公司安排密集的通告和活动，让韩庚没有一点休息的时间，甚至生病了也要顺延合约时间，而以健康为由提出的休假要求得到的也多是拒绝，为了健康，为了摆脱让人喘不过气来的"武器弹药"，2009 年 12 月 21 日，韩庚正式向韩国首尔中央地方法院请求判决与 SM 公司"专属合同"无效。

2010 年 12 月 21 日，韩国首尔中央地法民法合议庭宣布韩庚胜诉。"因为合作中的摩擦和尊严问题我才提出解约，但这十年非常感谢公司让我从一张白纸成为艺人。在韩国，艺人与公司解约很平常，独立发展的歌手解约完全可以通过正常流程完成。但对于组合，面对的不仅是公司，还有一起打拼的队友。所以心情是又纠结又刺激，以前一直是团队，现在只有我一个人，所以常会感到紧张有压力。"韩庚在他刚刚与 SM 公司解约时说。

单飞之后，他开演唱会，紧接着，做个人专辑。为了做这个新专辑，韩庚特意去了趟美国，让迈克尔·杰克逊的编舞老师为他的歌曲舞蹈亲自操刀，伴舞的也是迈克尔·杰克逊的御用团队。这位黑人舞蹈老师，和迈克尔合作了 18 年，他本来不打算再和别人合作的，因为他觉得没有人比迈克尔更优秀了。然而，在韩庚找到他时，这位冷峻、高傲、自信的老师说："韩庚，你了不起，因为你，我才破了例。"这让许多人为韩庚感到骄傲。

2010 年 12 月，韩庚首本概念书《韩庚 1221》出版，书中完整记录了从 2009 年 12 月 21 日到 2010 年 12 月 21 日这一年的时间里，韩庚的全部足迹。

韩庚一直用坚强和勇敢撒播着属于他的奇迹，用汗水和泪水写下了属于他的传奇。一路走来，他不再提及最初的伤痛，却依然记得最初的梦想。他始终没有忘记是歌迷的爱编织成了他飞翔的翅膀。他要继续飞下去，为亲人、为歌迷、为自己，他要飞得更高、更远、更稳健……

李宇春

—— 正面叛逆的无敌青春 ——

　　李宇春的人生是一首歌。2005年，她这首歌"超级"高亢嘹亮，声震云天。这一年，她在有15万人报名的"超级女声"音乐大赛中，于尘埃落定的8月26日晚脱颖而出，获得年度总冠军，成为中国首位民选超级偶像。此后，她两次登上美国《时代周刊》封面，获封"亚洲英雄"和"中国流行文化代表"。

1984 年 3 月 10 日，出生于四川成都一个普通家庭。

1996 年，开始住校上学。中学时代拿过"校园歌唱比赛"第一名。

2002 年，举行了人生中第一场个人演唱会；以专业分数第二的成绩考取四川音乐学院。

2005 年 8 月 26 日，夺取当年"超级女声"音乐比赛总冠军；9 月，发行单曲《……

2012 年 6 月，当选中韩文化观光宣传大使。第六张个人专辑《再不疯狂我们就老了》面世。11 月，在韩国 MAMA 颁奖盛典上获得亚洲最佳艺人奖。

2011 年 11 月 22 日，北京市福利彩票发行中心推出《龙门飞甲》电影主题即开型福利彩票。这是中国歌手头像首次登上中国福利彩票票面公开发行。发行第五张个人专辑《会跳舞的文艺青年》，成为第一位获得香港十大中文金曲颁奖礼全国最佳女歌手的中国内地歌手；参演《血滴子》，并演唱主题曲《刀锋偏冷》。

2010 年 9 月 24 日，亲临上海杜莎夫人蜡像馆，现场为其个人蜡像揭幕，开始尝试音乐创作，在发行的第四张个人专辑《李宇春》中，个人首次担任音乐专辑制作人，获得全球华语音乐榜上榜最受欢迎女歌手和中国金唱片奖、最佳女歌手和全球华语歌曲排行榜颁奖礼的年度女歌手奖，获得最受欢迎女歌手奖，打破了该奖之前 8 年由港台及海外歌手垄断的局面，出演电影《十月围城》，饰演方红，获得香港电影金像奖同届三项（最佳新演员、最佳女配角、最佳原创电影歌曲）提名的歌手艺人。李宇春还跨界影视，出演电影《粉末》，成为华语影史上首位获得香港电影金像奖同届三项（最佳新演员、最佳女配角、最佳原创电影歌曲）提名的歌手艺人。

2010 年，主演音乐电影《序幕》；加盟电影《龙门飞甲》，饰演女侠顾少棠；推出第 26 届世界大学生运动会志愿者官方宣传主题曲《我在这里》、第 16 届亚洲运动会官方宣传主题曲《天涯共此时》等多首单曲，并成立个人工作室。当选世界自然基金会（WWF）"地球一小时"中国区推广大使及第 16 届亚运会志愿者形象大使。年底，和天娱传媒正式续约，并成立个人工作室。

2013 年，主演赖声川导演的话剧《如梦之梦》；5 月，作为巴黎欧莱雅推荐的代言人踏上法国戛纳国际电影节红毯；6 月，受邀出席了 Karl Lagerfeld 上海摄影展；7 月，与谢霆锋、陈坤、陶晶莹共同担任湖南卫视"快乐男声"全国总决赛评委；11 月，获得"全球华人歌手唯一代表人"EMA 欧洲音乐大奖，作为亚洲最佳艺人，并演唱主题曲上海《The Little Black Jacket》。

2014 年 5 月 19 日，二度受邀戛纳电影节红毯，并作为当晚装束最一华人女星受邀中；发行第七张专辑《1987，我不知会不会变得更好》；8 月 21 日，获得 2014 APEC 最杰出女性表彰，被评选为唯一获此的女性，成为此类艺术奖项获得者；是第一获此大艺术奖项获得者。

2015 年 1 月 17 日，加盟湖南卫视打造的国内首档原创动物真人秀节目《奇妙的朋友》。在 3D 动画电影《疯狂外星人》中，为主人公小钱配音。

LIYUCHUN

李宇春
大事年表

《TMD 我爱你》，获得香港新城劲爆颁奖礼全国劲爆新人王、全国劲爆人气歌手及MTV超级盛典最具风格演艺圈新势力等奖项。

2005 年8月26日，夺取当年"超级女声"音乐比赛总冠军。

2005 年10月，登上美国《时代周刊》亚洲版封面，并被美国TODAY和英国BBC等媒体对其进行专题报道。作为首位华人歌手登上《三联生活周刊》《环球》《新周刊》等杂志单人封面，获得《新周刊》年度新锐人物奖项，并成为百度年度搜索十大关键词的唯一在榜人名。

2006 年1月，受邀前往英国参加"2006伦敦中国年"启动活动，与伦敦市市长肯·利文斯敦共同点亮了为本次活动特制的中式灯笼。登上中国集邮总公司发行的"李宇春个性化邮票"8枚版及贺岁纪念封，成为首个登上邮票露面的中国内地艺人。

2006 年3月，发行首张EP《宇你在一起》；3月10日，在成都首次举办"Why Me"演唱会，确立中国首个个人品牌演唱会；9月，首张录音室专辑《皇后与梦想》上市。同年，在福布斯中国名人榜总排名中位列第六，歌手榜第一，被编委会以中国流行文化代表人物身份收录进中国《中学生百科全书》，并凭借突出表现，在大学毕业前夕被母校四川音乐学院授予川音最高荣誉奖。

2007 年3月，北京"Why Me"演唱会成功举办，全国巡演拉开帷幕。凭借此次巡演，第二次登上美国《时代周刊》，并被评为"中国流行文化代表"。同年，发行个人第二张专辑《我的》。

2009 年5月24日，出席由《南方人物周刊》组织评选的"2009年度中国青年领袖"揭晓仪式并接受颁奖。

回归自我，获得自信

🎤 以镜子为师，坚持所爱

1984年3月10日，李宇春出生于四川成都。成都的3月正是风如酥、花似火，叮叮咚咚的泉水和唧唧啾啾的鸟儿在大自然的舞台上同台竞技的时候。她呱呱坠地时，啼哭声是那样嘹亮，似乎也要加入竞技的队伍，压倒大自然中的一切鸣唱……

李宇春的爷爷是四川大学中文系教授，在听到孙女唱歌般的哭声时，他兴奋地给孙女取了名字——小名春春，大名宇春。爷爷说，孙女的名字叫宇春，是希望她的人生就像唱响宇宙的春天一样，永远鸟语花香，永远充满着勃勃生机……

在春春半岁多还不会说话时，只要听到歌声，她就会"咿咿呀呀"地唱起来。她爱唱歌，唱得也好听，开始时家里人只是觉得这孩子聪明、好玩。上小学后，她还是曲不离口，常常忘情地唱，一曲又一曲，就像一场春雨过后的溪水，不歇不止地流淌着。每次都是母亲提醒"春春，该做作业了"时，她才会意犹未尽地停下来。

可往往是过了好一会儿，春春还沉浸在歌声里。爸爸妈妈渐渐有些发愁了：这样下去，孩子的学业肯定会受到影响。于是，爸妈对她说："春春，唱歌可以，但不能这么专注，要把主要精力放在学习上，将来考一所好大学。"春春点头答应了。但只要听到有人唱出一首新歌，她很快又学着唱了起来，因为她就想把它学会。对于女儿的痴迷，爸妈只能无奈地摇头。

每每听到春春的歌声，邻居叔叔阿姨们总会情不自禁地夸赞她几句："这孩子，就像一只小百灵，唱得太好听了！"这样的赞美使她对音乐的热爱愈加热烈，她想：我既然爱唱，就应该听从心灵的呼唤。

没有人教她，她就买来一面镜子放在床边，自己对着镜子校正口型及演唱姿势，镜子成了她的老师，她的歌也越唱越好。她不仅爱唱歌，还喜欢各种乐器，这时爸妈既不反对也不支持，当然谈不上送她去上培训班。但爱唱、爱听、爱观摩的春春自己也揣摩到其中的一些奥妙，将一些乐器学得有模有样。

李宇春的音乐天赋逐渐显现。"春春小时候的嗓音比现在细一点，每次上音乐课都非常认真。"西一路小学从一年级到六年级一直教李宇春音乐的甘老师说，"她的音乐成绩一直拔尖，多次获得满分；她还拿过成都市金牛区第三届中小学生艺术节班级歌咏比赛一等奖呢！"

十二岁升入初中后，李宇春开始住校。相对独立的生活造就了她言行端正有度、内心独立倔强、好学善学的性格。这时，不断窥探音乐殿堂奥秘的她又开始学写歌词，她写的歌词总是有意境且朗朗上口。她的歌唱得越来越好了，学校的每次歌唱比赛，她总能拿第一。后来，校领导认为她包揽了歌唱比赛的第一会影响其他学生的积极性，决定干脆对她禁赛，只允许她当表演嘉宾。

其实，一个人的才华是谁也阻挡不了的，正如冬天抵挡不住春天的到来一样，"池塘生春草，园柳变鸣禽"，几缕春风拂过，会四处草长莺飞。初中毕业时，学校组织了一次李宇春的个人演唱会，而这次演唱会似乎是一次情绪的检阅，学生们积攒许久的情绪彻底爆发了，学校大礼堂的每个角落都站满了人，到处是"李宇春，我爱你"的标语。学校不得不承认：该是怎样的，就是怎样的。

一个人努力而率性地坚持自己所爱，就会如同一棵阳光下自由生长的树，就会鲜花满枝、花红似火。

> **李宇春语录**
>
> 我的理想是唱歌，我达到了。我的梦想是纯粹的唱歌，我还没有达到。

🎤 考音乐学院，"小·清新"赶走"瞌睡虫"

"第一次见到她，我就觉得眼前一亮。"四川音乐学院通俗音乐学院声乐系主任余政仪老师在回顾初见李宇春的情形时如是说。尽管不知这是第几次发出这样的感慨了，但余老师的语气依然兴奋。

那是 2002 年 3 月的一天下午，在四川音乐学院考点负责招生的余老师有些昏昏欲睡。一个个考生上台，一支支歌曲唱下来，仿佛全都是一个人在唱，没有激情的表演、雷同且模式化的歌唱很快就让招生老师们产生了审美疲劳。

突然间，众人眼前一亮——只见一个个子高挑、身材瘦削、一脸英气的女生出现了，她穿着一件夹克，帅气而清爽，在众多"浓妆艳抹"之后，这样的"小清新"让老师们为之一振。余老师示意开始，女孩便从容舒缓地唱起来，那略显低沉却给人温暖感觉的旋律如同淙淙流淌的山泉般，让所有老师陷落！一曲唱罢，有老师情不自禁地说："这女孩具有亚洲级女歌手罕见的中音音质！"这个让老师们惊讶不已并极力赞许的考生就是李宇春。

李宇春的名字从此铭刻在了招生老师们的心上，尤其是余老师。虽说从初赛到复赛只有一个多月的时间，可阅"声"无数的余老师却觉得日子过得太慢了，爱才心切的他迫不及待地盼望复赛快点到来，他就可以更加凝神地欣赏李宇春极具特色的美妙歌声了。

复赛的日子终于在余老师的焦心等待中来临。复赛中，李宇春唱的是刘欢的《千万次的问》。"一个女中音歌手，那么高的音，她居然唱上去了，我没想到！"余老师暗暗在心中叫好。专业考试，李宇春的成绩相当好，为入系考生中的第二名；文化课成绩也非常不错，考了 500 多的高分。就这样，李宇春毫无悬念地考入了四川音乐学院通俗音乐学院。

接下来是分班。余老师负责的"八琴房"在四川音乐学院很有名，他常说："要做我的学生也不是那么容易的事。"但当时，余老师在心里已经"要"下了李宇春这个学生。

> **李宇春语录**
>
> 我是幸运的，因为机会留给了有准备的人；但我不是成功的，因为我的一切才刚起步。

在余政仪还没有正式提出要李宇春时，他接到了一个朋友的电话。这位朋友向余政仪推荐了一个好友的女儿："她很不错的，你看看吧。"这样的推荐电话，在学院招生临近的日子，余政仪每天都会接到好几个。他有几分不耐烦地想：推荐什么呀，千人一面、千歌一喉，你们推荐的人早在考试时我就厌烦了。你们肯定还不知道今年有个考生叫李宇春，要是知道了，也许就不好意思这么热心了。不过碍于情面，这些话他是不便说出口的，便答应跟朋友去这个女孩家看看。

就是在"那个女孩家"的客厅里，余政仪再次见到了李宇春。她是在父亲的催促下红着脸一路小跑出来的。跑到余政仪面前，她羞涩地说了一声"余老师好"。当时余政仪就笑了："是你啊……"

是她，就是她！就是这个羞涩的女孩，在 2005 年的夏天，让一向自视清高、从不追星的余政仪心甘情愿地成了一颗"老玉米"，疯狂地发短信"支持'超级女声'总决赛的 8 号选手李宇春"，跟着一群年轻"玉米"摇旗呐喊……

🎤 "颓废女"逆袭，让自信疯狂生长

毫无疑问，余政仪当时就"要"下了李宇春——这个他教学以来最为得意的门生。

不过，李宇春的音乐知识全都来自学校的音乐课，来自爱听、爱唱和爱揣摩。之前她没有专业音乐基础，只是天生乐感好，而通常能进到"八琴房"学习的学生都是经过了一番专业训练的。

开学不久，余老师就说："大家不光要学唱歌，还要学乐理。"这时，李宇春那双并不太大的眼睛却睁得溜圆："喜欢唱歌，想唱就唱嘛，干吗还要学乐理？"

李宇春不想学乐理，因为她知道这是自己的短板，她从来没有接触过。但这由不得她，乐理本身就是必学的基础课。很快，李宇春就发现自己有些跟不上了。在考音乐理论时，她的成绩有些不像样。

余老师曾说，很多记者都问过他一个问题，"你觉得舞台上的李宇春还缺什

么？"余老师的回答是："缺少自信。"这个回答自然遭到了所有人的反对："不会吧，她在舞台上有那么强的表现力，怎么可能不自信？""可我了解她，进四川音乐学院的时候，因为发现自己在乐理上与其他同学差距较大，至少有一年半的时间，我觉得她的状态可以用'颓废'两个字来形容。打不起精神，找不到感觉。"余老师如是说。

也许李宇春是一个完美主义者。她对自己要求特别严格，受不了自己有半点不如人的地方，一旦出现了这种情况，就会灰心低沉，甚至"颓废"。其实，过于追求完美也是一种不完美。

这种"颓废"一直持续到那首"玉米"们奉为经典的歌曲《我的心里只有你没有他》的出现。当时，余老师正在为学生们挑选毕业考试歌曲。很偶然的一次机会，他发现了这首《我的心里只有你没有他》，那轻快的拉丁节奏、那年少轻狂的歌词……余老师的第一反应就是：李宇春能将这首歌唱出来，而且能唱得很好。因为余政仪清楚，只有轻快、"疯狂"一点，李宇春才能从低沉中走出来，恢复她原有的自信。余政仪终于找到能让李宇春跨越自己的突破口了，"雪罢冰复开，春潭千丈绿"，他如同进入了一片春暖花开的园地，一下来了精神。

他将这首歌试唱了几遍，坚定了自己的感觉之后，就给李宇春下达了一个任务："现在将《我的心里只有你没有他》这首歌给你，下个星期你要把它唱着'还'给我。"很快就到了"还课"的时候。

　　"我的心里只有你没有他，
　　你要相信我的情意并不假，
　　只有你才是我梦想，
　　只有你才叫我牵挂……"

在"八琴房"三十多平方米的空间里，李宇春第一次唱出了这首日后让她一举成名的歌。歌声很有感染力，余政仪非常高兴，但他是个细心而严谨的人，他突然想到：这是一首拉丁风味十足的歌，必须载歌载舞方能彰显韵味，如果只是呆呆地站在那里唱，没有舞蹈表演的配合，会少了很多灵动的感觉，也就是说，唱这首歌时要突出表现年少轻狂的特点。于是，余老师又给李宇春下达了一个任务："学点拉丁舞步，下个星期将它载歌载舞地还给我……"

这可又是一次新的挑战。由于歌已唱得不错，得到了余老师的认可，李宇春不再打怵，她开始疯狂地"骚扰"舞蹈班的同学。刚吃过晚饭，她就缠着舞蹈班的同学教她几个动作，然后自己兴致盎然地一个动作一个动作地练习，很晚也舍不得停下来。第二天一大早起床，她就又去复习那些动作。朝霞洒在她那沁出细细汗珠的红扑扑的脸上，那脸上洋溢着的是一个追梦者的执着与坚毅。一个星期后，李宇春再次在"八琴房"给余老师"还课"。音乐声起，她的舞姿轻曼中透着张扬，她的歌声热烈奔放又不乏柔婉，舞姿与歌声、眼神配合得天衣无缝……

余政仪心想，这孩子悟性真高，学什么都那么快。他当场决定：让李宇春用这首歌参加期末考试。余老师这一决定非常关键，这首歌让李宇春在期末考试中得了 90 多分，在全年级名列前茅。余政仪随之又鼓励她说："在这首歌里，你把学到的音乐理论做了最恰当的阐释。"这让李宇春顿然醒悟：理论能让自己的歌唱站在更高的起点上，能让自己对音乐零碎的感知系统化，不仅知道一首歌要这样唱，还明白为什么要这样唱。还让她知道，只要将理论与具体的歌唱结合起来，也能轻松搞定。

就这样，在余老师的培育与教导下，李宇春找回了自信，并让自信"疯狂"地生长。音乐理论学习与歌唱相互促进，使她终于走上了一条适合自己的路，并在这条路上不断地品味音乐、阐释音乐，进入更高的艺术境界。从此，自信满满的她更是频繁地参加各种比赛，这使她既锻炼了自己，也一步步地走进了人们的视野。

> **李宇春语录**
>
> 你不是一个完全自由的人，你当然要对为你付出辛勤劳动的人负责。

高调低调，爱是基调

🎤 唱一支助人的歌怎么不 "张扬"

出道之初，李宇春就被外界贴上了"独立"和"叛逆"的标签，给人留下的是一种满不在乎的印象。其实，家人从小对李宇春进行的是"淑女"教育。她家的规矩特别多，比如吃饭时不能发出声音、筷子不能在盘子里乱翻、得到别人的帮助时得说谢谢、站有站姿坐有坐相、笑不能露齿……但这些并没有磨蚀掉她身上 80 后与生俱来的张扬个性。不过，要说她叛逆，也只表现在唱歌上，生活中的她是一个非常低调平实的女孩。从儿时起，她就朴实得不能再朴实——不习惯穿裙子，即便穿裙子，也是白底小碎花的那种；舞台上，头发永远伴着发胶挺立，唱歌时从来不正视摄像机。

朴实善良是李宇春的本性。负责他们班上化学教学的赖老师至今提起李宇春，还会说起一件让她感动的事：季节交替时，是人们最容易患感冒的时候。夏末秋初的一天，赖老师在去学校的路上，见到一位老人拉了一辆板车。经过一个上坡时，老人怎么也拉不上去，赖老师就帮助那位老人把板车推了上去。由于用力过大，赖老师出了一身汗，刚好第一节课就是她的课，来不及回家换衣服，她只好匆匆忙忙赶去教室。就这样，赖老师感冒了。第二天，赖老师

> **李宇春语录**
>
> " 好与不好都是别人的评价。我只是想做一个歌手。 "

又去上课时，嗓子特别难受，讲课时不断咳嗽。在下一节课上课前，一个女生走过来，放了一盒感冒药和几颗润喉糖在讲台上。这个女生就是李宇春，她利用课间休息的时间去药店给老师买了药，而这天正下着大雨，风也很大，尽管她打了伞，裤子还是被雨水淋湿了。

老师们总是记得她，她也从不忘老师对自己的教诲之恩。2005 年 6 月 28 日，"超级女声"成都赛区总决赛前，李宇春惦念着老师们，回了趟母校。她远远地见到赖老师，便热情地张开双臂："赖老师，来，抱一下！"这一抱，一个知道感恩的李宇春永远地定格在了人们的心中。

"春春从小就很重感情，见了别人需要帮助她要是不帮，心中就会觉得很难受，谁对她好，她都记在心里了。"李宇春妈妈说。李宇春跟家人的关系都特别好，对老人也特别孝顺。从小跟着爷爷奶奶一起生活的她，听说奶奶身体不舒服，马上去给奶奶揉头、捶肩。五岁的时候，姑姑带她去游泳，没想到姑姑低血糖，突然头晕，李宇春马上穿上鞋子去给姑姑买冰棍吃，然后扶着姑姑回家。

节假日，父母早上想多睡会儿，她就起床给他们把茶泡上，然后擦地、洗东西、择菜，还会给父母煮好鸡蛋放在桌上。上大学后第一次参加活动，挣了 100 块钱，她都用来给爷爷奶奶买东西了，孝顺孙女让两位老人高兴得合不拢嘴。

🎤 不做粉丝团，大雨见证真心

自从以李宇春为代表的几位成都籍"超女"一唱而红后，成都"超迷"们每个人都想一睹偶像的风采，而最有可能见到偶像的地方就是成都双流机场了。哪怕只有一线希望，"超迷"们也愿意在那里坚守一天一夜。

一次李宇春到成都，她的签约公司天娱原本答应成都"玉米"的要求，让李宇春从普通通道出来，让喜欢她的"玉米"能近距离看一眼偶像。可后来担心人太多造成踩踏事故，公司最终还是让李宇春从 VIP 通道悄悄走了。李宇春离开机场后，"玉米"们依然不

李宇春语录

" 有的东西比成功更重要，因为那决定了我们是谁。 "

肯离去，依然一首接一首地齐唱李宇春的歌，连当时在场的"春妈"看到后都流着眼泪说："'玉米'们是最棒的！"

2005 年 9 月 4 日深夜，成都大雨滂沱。不是"玉米"的记者却没来由地有了如"玉米"般的兴奋。跟着李宇春的父亲到了她的家，一推开门，记者们就吓了一大跳——十几个巨大的纸箱、蛇皮袋占据了偌大客厅的一半，餐桌上也如小山般堆满了礼物。最巨大的一件，是那部多次出现在媒体上的键盘。

在记者们面前，"春妈"略带歉意地说："前两天刚刚从长沙运到成都，一直忙，还没来得及打开整理呢。"问她打算如何处理这些"玉米"的心意，"春妈"摇着头说："还真没想好，不过请你们转告湖南'玉米'，给春春的礼物安全到家了，请他们放心，只要春春回家，一定会看到这些礼物的。"

李宇春的粉丝不断增加，她以自己超强的人格魅力征服了越来越多的人。人们称李宇春是实力非凡且极富舞台魅力的歌手。"春春只管唱，玉米管销量""盗版止于真爱"，这是"玉米"们的心声，有了这样一批"玉米"，也着实让李宇春感动。

在很多选秀明星与粉丝定期聚会的氛围下，明星对歌迷总是既有感谢也会讨好，李宇春却不是这样。她说："我没有粉丝团的概念，而且我实在没精力做粉丝团。"她这样说"玉米"们也不恼，他们认为这是李宇春坚持自我的表现。有人统计过，李宇春的粉丝组成大多年龄成熟、学历较高。有人问李宇春有没有想过原因，她说："赶巧了吧！"哪里看出她有半点高调！

不讨好粉丝，但李宇春对粉丝们的感谢却是实实在在的。

成都冠军决赛那天，一名十五岁的小女孩为了见李宇春，拿着一个超大的布布熊在成都三十三频道外苦等了六个小时。李宇春夺冠后，在工作人员的簇拥下乘车离开。小女孩一见，连忙招手拦了的士在后面尾随。两辆车一前一后在雨幕中走了近两个小时。开始时李宇春不知道后面的车上坐的就是自己的粉丝，当她的车怎么走后面的车就怎么跟时，她终于明白了，后面车上坐的人一定是想见自己一面。她连忙让司机把车停了下来。门开了，李宇春下了车，因为

李宇春　正面叛逆的无敌青春

没有带伞，她只好站在雨里。

那天天气很冷，小女孩看着偶像，颤抖着将事先准备的送给冠军的礼物递到李宇春手中，李宇春紧紧地抱着布布熊在冷雨中痛哭起来。她对小女孩的感激之情，随着滚落雨水中的热泪，击退了寒冷，温暖着每一个粉丝的心。后来，那个布布熊被放了李宇春的床上，成了她最心爱的礼物。

李宇春对粉丝们感激的心就如同夏日的雨水一样，痛快淋漓。不久后，她在北京又和一群粉丝遇上了一场大雨，让她感恩的心再次彰显得淋漓尽致。都说北京雨水少，出外一般都不用带伞，结果她还是被雨淋到了。

那次出去，有人有远见似的，特意带了一把雨伞。老天爷也好像要考验大家，把一场雨下得很急很大。

快到目的地时，过道很窄，车开不过去，必须下车。李宇春第一个下了车，紧紧抱着书包在前面狂跑，一帮人则在后面追，边跑边大声喊："春春，还远呢，给你伞啊！"有一位李宇春称为表嫂的女子也大声喊："春春，雨凉啊，地上滑，别跑啦！"李宇春在前面跑得好快，远远地就听见一句："把伞给她，她感冒了。"

后来才知道，李宇春是说要把伞给"表嫂"。

一个人紧紧抱着书包在前面跑，一群人在后面追赶着、呼喊着，好像在演警察抓小偷。雨很大，她跑着，水花溅得老高，上面的雨水冲下来，地上的水花溅上去，很快，李宇春的球鞋就被冲刷得很白，湿透了的裤腿贴在脚踝边。这情景让人不禁想起由张楠作词、郑伟作曲、李宇春演唱的一首歌中的几句歌词：

"雨中忘情踢踏谁来做伴，

分分钟向前冲，

自己都感动……"

等跑到目的地门口的时候，李宇春的头发全湿了，水淋淋地贴在脑门上。这种并不炸炸的发式，用她的话说，就跟她念大二那年的发型一样。

"表嫂"一边心疼地给她擦着脸，一边埋怨她，"要是被'玉米'们看见了怎么办，他们会心疼死的。"李宇春歪歪脑袋，一副不在意的样子："所以我得跑快点。我跑那么快，他们看不见，就算是看见了，也追不上，肯定不能把他们自己的伞递给我了。"李宇春在大雨中快跑，只有一个心思——不让别人把伞让给她，这雨水由自己来淋。

"表嫂"说："你怎么不知道爱惜自己，那把伞本来就是给你准备的啊！就是不要，你也可以把书包顶在头上啊。哪有你这样抱着个书包跑的啊！"李宇春让"表嫂"擦拭着她头发上的雨水，听着她埋怨自己，并不说话，只是低着头仔细检查怀里的书包有没有湿。在发现包中的东西好好的并没有被雨水淋湿时，李宇春放下心来愉快地笑了，说："这是今天早上电梯门口的'玉米'送的，我还没来得及拆开……"头发可淋湿，身上可淋湿，玉米的一片深情厚谊不可淋湿。"表嫂"流泪了，那是感动的热泪、钦佩的热泪。

在有些人眼中，因为做自己，李宇春是高调的；可她的粉丝，几乎所有人都认为她是低调的。其实，不管高调低调，彰显的无不是她那颗火热而细腻的心。

🎤 正面的叛逆，做一个"玉米爱心基金"控

有人说，自她参加"超级女声"以来，很多人说她长得不漂亮，又不会飙高音，凭什么有如此多的人喜欢她？除了对自己最初梦想的坚持，除了谦逊淡定的性格，除了干净秀气的面孔，除了独具特色的女中音，除了会放电的舞台魅力，她还有什么？

2005 年，《时代周刊》选她当封面的原因之一，是她"叛逆"。

李宇春有着好脾气，但也很有原则，可就是因为坚持"做自己"，她成了人们眼中的"叛逆"。念书时，因为喜欢打篮球，

她告诉妈妈，以后不要再逼她穿裙子了。不穿就不穿吧！可她竟然"得寸进尺"，又先斩后奏剪了短发。"那时候因为头发的事情，和妈妈吵过好几架，虽然每次都被骂得很惨，但最后'胜利'的还是我。"80后天不怕地不怕的倔强，始终是李宇春性格的重要组成部分。

2006年刚出道时，人们说那是李宇春不知所措的时候。"不知所措"的她有一天突然要求公司停下所有通告宣传，因为她要专心录制第一张个人专辑，她说："唯命是从不是我的风格，有问题大家可以商量，但不是谁谁谁一言九鼎。"

此后，她更是用实际行动告诉人们，什么是"正面的叛逆"，这就是人们喜欢她的原因。

李宇春尤其爱做慈善。和很多热心慈善与公益事业的前辈相比，这些年来李宇春的成绩单或许并不算炫目，但对一个出道不久的年轻歌手来说，她做的实在是太多了。

汶川地震时，李宇春在得知家乡四川血库陷入缺血危机后，第一时间赶往血液中心献血。捐款、献血、宣传、号召，她率领着一班人，夜以继日，不遗余力。在李宇春的带动和感召下，中国红十字基金会于2006年设立了中国第一个由歌迷捐设和命名的专项基金——"玉米爱心基金"。"玉米爱心基金"从零元起步，开创了国内成立基金会零起步的先河。当年，李宇春和歌迷们一道，通过"玉米爱心基金"向红十字会捐款100多万元，随后她又投入到一系列抗震歌曲的录制及募捐义演活动中。

2010年4月14日上午，青海玉树发生地震。次日上午，"玉米爱心基金"积极响应救援行动，李宇春率先紧急捐款100万元。同年，云南旱灾后，"玉米爱心基金"向灾区捐款50万元。

2011年4月5日下午，中国红十字基金会在北京启动"玉米爱心基金资助听障儿童康复训练计划"。"玉米爱心基金"联合中国聋儿康复研究中心，面向社会筹集150万元人民币，资助100

名贫困家庭听障儿童为期一年的康复训练。启动仪式上，"玉米爱心基金"拨付42万元，用于资助首批30名听障儿童康复训练。2013年，"玉米爱心基金"援助雅安芦山震区100万元。此外，"玉米爱心基金"还援助救治白血病等重大疾病贫困患儿数十名，在安徽、四川、甘肃、河南等省份援建博爱卫生站、博爱卫生院和博爱新村等。

截至2013年底，"玉米爱心基金"累计接受全国数万人次的爱心捐款，总额突破1200万元。

"玉米爱心基金"是李宇春歌迷的爱心创造，更是中国公益事业的一项创举。由于与日俱增的影响力，如今的"玉米爱心基金"已成长为中国"最具代表性的公益基金"之一，发挥着巨大作用。

李宇春个人也向社会捐款不断。2005年10月7日，在上海巡演期间，她参加上海慈善拍卖会，捐出自己在"超级女声"决赛上穿过的服装与饰品，以38万元名列标王，所得款项全数捐出。

2006年3月10日，李宇春在成都举行自己的22岁生日音乐会。此次音乐会被她的经纪公司天娱传媒制成DVD与VCD出售，李宇春将自己从这些音像制品中所获得的版税全部捐出。

致力公益事业的李宇春受到国际组织的关注与认可，越来越多的国外媒体把眼光投向了这个中国女孩。对公益事业的热心、阳光健康的形象、出色的个人成绩和从未降温的超高人气，使李宇春成为国外媒体眼中当之无愧的青年领导者。

2010年，继担任MAC艾滋病基金中国区大使之后，李宇春再度得到全球最大的环保组织世界自然基金会(WWF)的邀请，成了"地球一小时中国区活动推广大使"。"2011李宇春Why Me武汉演唱会"发布会上，李宇春再度荣膺该职务。

其实，李宇春对慈善的关注从学生时代就开始了，只是当时她的能力有限。成为歌手以后，她渐渐发现自己可以帮助更多的人，可以

李宇春语录

66 你不能去要求别人，你只能控制自己可以控制的东西。 99

把对慈善的关注变成行动。为了帮助艾滋病人，她第一次去了"艾滋村"，虽然心里有害怕和慌张。通过对相关知识的学习，和患者们见面、聊天、握手甚至做游戏，她从内心害怕渐渐转变为坦然接受。她说："我会尽量去影响周围的人，让他们了解更多的真实状况，并获得勇气去关心这些孩子。因为我已经看到由'个人行为'发展到'社会行为'的力量，这也是我非常乐意看到的。"

李宇春最常说的话是："慈善不是作秀，那是在做人。""有爱就有希望，有希望就不要放弃。慈善是一种态度，大家要量力而行。"正是这些高调的爱、低调的爱，让她的影响越来越大。

每个路口，都有飞的理由

🎤 人生是多个《下个路口见》

> "刚下的地铁还不算拥挤
>
> 你那边飞机碰巧也落地
>
> 东京下雨　淋湿巴黎
>
> 收音机　你听几点几
>
> 当半个地球外还有个你
>
> 当相遇还没到对的时机
>
> 夏天一去又是冬季……"

2009 年，以她的名字命名的专辑《李宇春》终于尘埃落定，她特有的春式情歌再一次证明了她非凡的音乐才华。其中的一首《下个路口见》，据她说，"两个没能相遇的人可能在不同的时间、不同的空间，各自做的事情都是一样的"。故事极具想象力，既新奇又动情，旋律也很好听。

《下个路口见》是李宇春自己写的。写这首歌的时候，她已经是全国皆知的名人了。当时有人为她担心：万一写砸了，岂不是很丢人？她说："没想那么多。"她只是觉得，一个人在事业上要不停地尝试，心到口到，就动笔了。"我会觉得就算是我写了垃圾，也是我自己的作品，我要面对它。我觉得写词跟我们写博客写文章不一样，但是我觉得每一个写词人，都有他个人的一个特色，像我的就是那种，很多词大家理解不了。"她这样说。

不管别人是否理解得了，这首歌的名字所表达的意思一看便知：人生是多个"下个路口见"，如此才能永远行走在路上，让生命充满活力与希望。

21岁的李宇春往"超级女声"的舞台上一站，人生大变，从歌坛红人到电影新秀，从媒体宠儿到时尚宠儿，作词、作曲、戏剧、做自己的MV导演——她的身份越来越难界定。

李宇春不仅是文艺多面手，她还要成为"老板"。2010年10月，在与天娱续约之后，李宇春将拥有自己的工作室，从唱片到演唱会，甚至一些商业活动，李宇春将更全面地参与对自己的包装和规划。这也是为了实现李宇春心中的一个梦想："真正的偶像是有才干、有魅力、有特色和自信的。"

人生就是很多个"下个路口见"，只有不停地向前，才能越走越远。

🎤 初次"触电"变身"打女"

2009年，李宇春被《十月围城》剧组选中。

化妆时，把雪白的小脸抹黑，扎起一条粗辫子，套上厚厚的戏服——就这样，李宇春变成了"六义士"中的一位、戏班班主的女儿——方红。

在辛亥革命前夜的东方之珠，正值青春豆蔻年华的方红，怀着替父亲报仇的强烈愿望，以及改天换地的热情，毅然成为"救国六义士"的一员。她有着与生俱来的反叛与柔情。反叛，是因为天下有太多病入膏肓、负隅顽抗的蠹虫；柔情，只为慈父及挚友所有。她以巾帼的纯真保护孙中山，以比男子更为悍勇的气概与清朝鹰犬相斗，最终的热血悲剧叫人欲哭无泪！由此，李宇春扮演的方红成为年度华语巨制《十月围城》中最令人动容的角色。

其实，是否出演《十月围城》，李宇春也曾犹豫过，最终她选择了尝试，希望能突破自己。她认为，演电影不比写歌，作词作曲好与不好那纯粹是自个儿的事，可演电影就不一样了。这也让她有了与作词作曲完全不同的故事。

方红这个角色最初曾考虑过周迅和桂纶镁，但监制陈可辛坚持要用一个新人，大家突然想到李宇春，陈可辛就说可以试一下。

陈可辛第一次找到李宇春时，让她感到意外也特别高兴，但后来李宇春几乎是推着把陈可辛"撵"出了门。"我真的很想演这个角色，又真的不想影响你们的作品，把观众吓跑了。因为我没有学过表演，哪里就会演电影，所以害怕紧张，怕害了导演，怕影响了别人。"她的话倒让陈可辛看到了希望，"只要想突破自己，这就是成功的力量和前提，其实没有什么好害怕紧张的啊！"陈可辛的真诚和鼓励，使李宇春终于答应了。这也是她人生中新的一步。

初涉影坛就要变身"打女"——女扮男装、腰藏短刃、目光伶俐、神色决绝，这样的银幕形象着实不那么好切入。李宇春又确实对电影懂得太少，她饰演的方红有哭戏，李宇春不知道哭戏是要自己喊"开始"的，所以导演在等、她也在等，胶片废了很多，导演和她都很纳闷——怎么还不开始呢？

要弄懂的东西实在太多，可李宇春在拍戏之前却只培训了六堂课，总共十二个小时。因为角色方红有武打戏，她就得训练那些不曾接触过的武打器械。比如，方红用的武器是九节鞭，训练时，老师让她从最基本的动作做起，但李宇春常常练功心切，希望可以尽快掌握九节鞭的精髓，结果常常误伤自己。

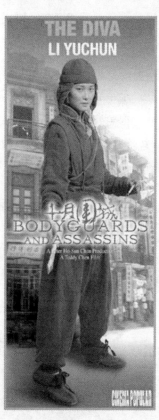

十二个小时的培训能做什么？李宇春曾一度很纳闷：为什么一个第一次演戏的人，要做那么多事情，导演给画了个圈还非要跳下去？又要打又要哭的，又要穿那个年代的服装，还要吊威亚，还要能吃很多东西。特别是吃饭，一想就发腻，一般都是刚吃完饭，就说要拍吃饭的戏了，便要不停地往嘴中塞饭菜。

李宇春　正面叛逆的无敌青春

纳闷归纳闷，可她做得一点也不差。凡是有经验的演员，在演戏过程中，可能在某个瞬间，根本不相信那就是自己。李宇春说，最难拍的是哭戏，她往往会提前两个小时就坐在一处一言不发，看着替身演员帮她走位，借以调整自己的情绪。"替身演员是那种会尖叫的，我心想我可是个女中音啊，她说我的台词的时候分贝那么高，我可怎么办？后来自己去拍的时候，没想到还挺快的，一下子就喊出来了，自己倒把自己吓着了，我从来没喊过那么大声音。"

原来专注可以改变一个人。

李宇春就是这样一直努力着。拍摄武打戏的时候，一个看起来很简单的动作，她都要一遍又一遍、一条又一条地"磨"。如果站位稍偏、节奏不对、武器挡到脸……她都要再来一条。有时拍了一整天，剪出来的东西在影片中就那么几十秒钟。但她一点也不怕折腾，每拍完一条，她都会和搭档一起仔细地看回放，导演稍有不满意，在经过指点后，她便开始重拍。比如，有个镜头是方红路遇劲敌，一甩辫子然后咬住就开打，就这个镜头让她"磨"了许多时辰——甩辫子的力度、辫子的长度、辫子绕在脖子上的宽度，都在拍摄时不断进行调整。对于这些，李宇春没有表现出丝毫不耐烦，她总是在琢磨怎样拍摄起来更方便、怎么能拍得更好——于是，本来已打得气喘吁吁的她，以几分诙谐和调皮的口吻说："我觉得这条辫子太胖啦！"于是，造型师立即给辫子"瘦身"，这样她就能很顺利地咬住辫子了。

拍摄时不仅会流汗，也会受伤。一次，李宇春要做一个手臂挡武器的动作，武行们赶紧拿来保护手臂的护垫给她绑好，但严格认真的她，十几遍真刀真枪打下来，胳膊上还是有些瘀青。平时经常练习舞蹈的她，见过太多的伤，对这点小伤一点也不在乎。刚进剧组时，她突发腰伤，但她始终坚持着，不曾有过半点退缩之意。

李宇春最大的特点就是不懂就学，而且很虚心。休息的时候，别的演员在拍戏，她就会跑到监视器前看，看那些资深演员的表演，揣摩一些表情和细节的拿捏；她也会和武行、替身演员在一起，反复练习、仔细揣摩自己即将拍摄的动作。

在如此高强度的拍摄中，李宇春仍一如既往地体恤他人。按剧情设置，方红要有一次负伤，因此要给李宇春的手滴一些假血浆。假血浆很黏腻，拍完一条休息时，化妆师想帮她擦掉。但在擦掉之前要用相机拍下来，以便再次上妆时能够与此保持一致。李宇春知道这一情况后，说："还要涂啊，为什么要擦掉？"尽管假血浆让人很不舒服，但为了减轻化妆师的工作量，她还是让它保留着。

一不怕苦，二不怕累，想不出色都难！李宇春的突出表现，很快让片场刮起了一阵"老男人风"——无论是导演陈德森，还是摄影黄岳泰，甚至挎刀客串导演的刘伟强，都对她偏爱有加。有记者问："陈德森，你要给李宇春的表现打几分？"陈德森说："108 分。""你怎么评价李宇春？"陈德森又说："我期待可以和她再合作。"

拍摄中，李宇春还见缝插针地"种起了自留地"——武术指导要布置威亚，弄两个小时威亚，拍一个镜头，这样就有了空余时间，就在这些时间里，除了向资深的演员学习外，李宇春还为自己写了第一张专辑中的八首歌。

此外，李宇春还在《十月围城》中干了一把老本行——为该片演唱主题曲《粉末》。

"……
什么大爱 什么时代 我弄不明白
失去了你的悲哀 长埋我胸怀
陪着我勇敢踏进了未来
……
一下子成熟 忘了怎样软弱
昨天的不满 现在换成开阔
也许我浅薄 可不是泡沫
只要为你活过 我就不是粉末"

轻吟浅唱的巧妙处理，拒绝了潮退潮涌的澎湃式表达，将虽是小人物却是历史前进基石的人们发自内心的愿望一一表达出来，为观影后还沉浸其中的观众留下淡淡的忧伤，同时也让观众充满憧憬。尽管这不是李宇春第一次为电影唱主题曲，但却是她第一次为自己演出的作品而唱，对她本人及喜爱她的歌迷来说，意义不同寻常。

拍戏再繁忙，她也不会拿健康做代价，会休息也是她的一大特点。李宇春和谢霆锋是两个最爱在片场睡觉的演员。谢霆锋有先天优势——黄包车当床；李宇春却没有，黄包车她只能在演戏时坐坐，可没关系，实在太困了，她就往苹果箱上一趴，"天地玄黄，宇宙洪荒"，一切都仿佛离她远去了。

电影上映后李宇春至少看了七遍，每遍看都会哭。"我给自己打60分，但一看到其他演员的戏，我就会想起他们在片场给我的帮助和鼓励。"李宇春说，她不会再像以前那样排斥拍戏，"至少我不会一棍子打死，说'我不适合干这个'。"只要认真去经历，它就会让你的人生有一个大的提升。

《十月围城》在市场票房和专业口碑上都取得了极大成功，李宇春也一举夺得海内外"最佳新演员""最佳女配角"等多个提名和奖项，成为华语电影界最受瞩目的新星，被称为2009年度电影"新人王""中国电影界的新发现"。

《十月围城》让李宇春声名远播，海内外知名导演的邀约纷纷而来。2010年，李宇春在传奇导演徐克的中国新武侠3D电影开山之作《龙门飞甲》中出演侠女顾少棠，并以自己在塑造角色个性、情感、功夫等方面的全面提升收获了众多好评。顾少棠这个角色属于"口不对心"型，外表匪气十足，为宝藏在江湖上争名夺利，实则背后藏有"大爱"。正是这样的角色塑造与表演，使李宇春又一次给大家留下了深刻印象。有媒体称："李宇春在片中负责了很多搞笑情节，表演很有诚意。"更有人赞叹："李宇春在片中演出了真爱。如果有续集，她一定是女一号，因为有真爱！"

2011年，李宇春在陈可辛监制、刘伟强导演的《血滴子》中出演中国影史"第一女血滴子"。拍摄中，为了"更凶猛、更聪明、更有型"，李宇春开拍第一天便意外负伤。在拍摄一场"血滴子天团"在烟雾中狂奔的戏时，不甘落于人后的李宇春爆发出惊人的能量，不料踢到了一颗石子，"扑通"摔倒在地上，膝盖上的鲜血顿时"汩汩"冒了出来。刘伟强一见，高呼"传御医"，"平地摔倒，太笨啦！"李宇春挠挠头说，"刚才那个镜头还没拍完呢，继续来！"这部戏再显李宇春的"硬汉"形象，演出更为精彩，让业内外无比关注。

🎤 挑战、超越并享受自我的李导

这几年，每一年的"Why Me"生日演唱会都是李宇春自己做导演，这已成为中国内地唯一延续多年的个人音乐会品牌，可以说是个奇迹。

2008年7月31日，李宇春做客深圳卫视刚刚推出的新节目《好歌最流行》。此次深圳之行，除约会歌迷之外，她更是要为自己的新专辑《少年中国》展开第一波宣传攻势。李宇春介绍时说，《少年中国》是她为奥运献礼的一张专辑，所以，它的同名主打歌就特别强调"中国风"——"少年智则国智，少年富则国富，少年强则国强""美哉，我少年中国，与天不老！壮哉，我中国少年，与国无疆！"大文豪梁启超曾写过一篇《少年中国说》，于是她将《少年中国》拿来作为专辑的名称。她这次不仅主唱，还亲自操刀导演MV。原来舞台上风光无限的李宇春对做幕后的岗位早已"垂涎三尺"。是的，她要做导演，实现自己职业生涯的一个新跨越。

"潜龙腾渊，鳞爪飞扬；乳虎啸谷，百兽震惶；鹰隼试翼，风尘翕张；奇花初胎，矞矞皇皇；干将发硎，有作其芒"，《少年中国》整个MV以水墨画为背景，私塾、奇花、乳虎、鹰隼、墨龙等带有明显中国特色的文化符号不断呈现，人们不禁惊呼：一向以中性、叛逆形象示人的李宇春玩起"中国风"来也是有模有样。据悉，整个MV的背景就用了过千幅水墨画。这是何等的耗工耗力！当被问及做导演的感想时，李宇春只说了两个字"谢谢"。她是要感谢所有帮助和支持过她的人，当然她也要感谢生活，感谢她自己。

 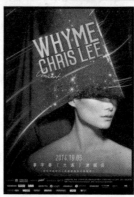

在说起当导演的酸甜苦辣时，她说："我们栏目组的人知道拍摄这件事可真不是一件简单的事。说实在的，唱歌是一个人独立去完成的工作，而镜头这'尤物'，现场怎么也得有几十号人'伺候'着，你要用摄像、灯光、美术去完成你的想法，你来做现场调度，在拍之前肯定会花很多时间。我跟副导演从一开始就碰了好多次，因为他要盯现场，我要表演的时候他会先看那个监视器，我只是跑回去看回放，所以他从头到尾一定要特别了解我想要拍什么东西。"

2009 年，李宇春照例发行了自己的新专辑。这次的专辑是她再一次向自己挑战的成果——她不仅唱，而且要唱自己写的歌。新专辑《李宇春》中的词曲全都是她自己写的，专辑发行后在业界颇受好评。对她来说，没有歇息，只有前进。制作完唱片，李宇春又成了自己北京演唱会的总导演。原因是，她认为自己做的会更好。李宇春之前和导演沟通时有一些分歧，她在考虑了一个晚上以后给老板宋柯发了条短信，内容就是演唱会的总导演由她来做。在走马上任之后，"李导"也没忘记行使自己的权利。事前，她精心准备，每一环节每一细节都仔细推敲，然后按先前筹划的一一落实，如果哪位同事不按时完成任务或某一环节做得不到位，李宇春绝对不留情面，在现场就会大发脾气。

然而，在事业全面开花的同时，在李宇春身上还发生了不少怪事——她的照片被做成了计生画贴在墙上，她的名字和曾轶可一起被网友编成了口号广为流传。但李宇春对此特别看得开，在《娱乐现场》栏目中，她说这些不好的新闻她都知道，还笑称："我活在地球上，有两种心情，一种是不高兴、不开心，另一种是劝服自己。作为艺人，必须要面对这样的情况，要海纳百川，流进来的每一滴不一定都是干净的。"宽容才有好心态，大度才有更多的时间做正事。她拍电影、当导演、做唱片……总是忙得不亦乐乎。

李宇春似乎没有真正休假的时间，她已经摆脱不了娱乐圈里关于时间的惯性，总是在风风火火地忙碌着："我一直喜欢做事有点儿提前，这样不至于手忙脚乱。"

李宇春辛苦着却快乐着，在她看来，挑战自己、超越自己是让自己最享受的事情。

《如梦之梦》，让梦想飞翔

挑战没有止境，它给人带来的享受也没有止境。

2012 年的一天，新的挑战又摆在了李宇春的面前。台湾被誉为"亚洲剧场导演之翘楚"的赖声川导演于 2000 年创作的话剧《如梦之梦》拟在大陆排演。这部话剧在 21 世纪初期的华人剧场备受瞩目，它源于赖声川在一次印度之旅中的灵感。整部戏像一次庞大的旅行，从一个医生的故事，引出一个病人的故事，再到上海老女人，再到法国伯爵，然后又回到这个病人，继而又回到最初的医生，引发人们对于生命与死亡、痛苦与解脱的思考。

整个演出长达 8 小时，观众坐在舞台的中央区，30 多个演员、300 多套衣服，舞台包含 8 个方位、3 个楼层。话剧在时间上穿越民国初年、现代，长达 80 年；在空间上穿越台北、巴黎、上海、北京、诺曼底等地。

赖声川话剧出品方北京央华文化发展有限公司决定在大陆挑选演员，他们想到了横跨音乐、电影、时尚、公益等多个领域、人气极旺的李宇春，于是秘密地、试探性地与李宇春工作室接触。

双方团队相关人员把合作的方方面面认真考虑清楚之后，便分别向李宇春和赖声川提出合作建议。李宇春一听工作室提出的建议，第一反应是："演话剧？怎么可能？"赖声川的反应也是："李宇春？怎么可能？"然而，最终将不可能变为可能的恰恰是他们自己。

收到剧本后，李宇春带着疑问去读，没读几页就被剧情深深吸引了。剧中有一位出生在台北、家境优渥、如同钥匙一般开启生死追溯之旅的年轻实习医生严小梅，虽然她有着医生的正直，以及最初走上医生岗位的雄心勃勃，但刚刚踏入社会的单纯使她在死亡和漠视死亡的环境里束手无策，这让李宇春备受感动。她津津有味地读着，越读越喜欢，欲罢不能的她仅用一个晚上就读完了几百页的剧本。

之后，她便与赖声川及其夫人丁乃竺有了第一次见面。李宇春谈了自己对剧本的喜爱，

> 李宇春语录
>
> **66** 经历是一份礼物，我们正在被赐予着。**99**

谈了她对剧中人物的看法，理解深刻，见识独到。她说："戏中透过一层接着一层的梦，折射恢宏的历史气度，引发人们去做关于现实、关于生命、关于爱情、关于哲学等方面的思考……"

李宇春的侃侃而谈让赖声川彻底改变了最初的想法，他说："没错，她就是医生。"

与李宇春一场就过百万的商演价相比，出演《如梦之梦》不仅薪酬微薄，而且耗费的时间和精力非常多。听说《如梦之梦》剧组将在北京、上海、台北、深圳、乌镇等地的艺术节演出，还要去新加坡，李宇春还是义无反顾地答应参演，并将其当成人生不可多得的一次沉淀与充盈的机会。

凡是挑战，机遇与危机并存。戏剧功底和舞台经验都为零的李宇春暗暗下决心：要演就投入进去好好演，绝不可以掉以轻心。于是，从一开始，李宇春就以一颗谦卑、学习之心面对这次挑战，在排练中潜心修行，"闭关"时间长达一年。

她的表演非常到位。在由她拉开《如梦之梦》帷幕的演出中，严小梅上班当天就遭遇病人接连故去的现实，她看到见惯了死亡的老医生将病人的离去只视为一个数字，并没有太多情感倾注。对于这样的无动于衷，严小梅愤愤不平，以致对家里托人给她介绍的男友也无心见面，只想跟自己病房里仅剩的那个患上怪病的"五号病人"交流。

这段交流李宇春拿捏得非常好，本来是病人应该讨好医生，可这个病人却是一副拽拽的样子，让人感觉两人之间正好倒了个儿。在表演中，李宇春的情绪由低到高，在一次爆发后终于打开病人的心门，也打开了病人的话匣子。随着"五号病人"的叙述，整个《如梦之梦》的故事渐次展开，参演的胡歌、许晴等明星也依次登场。全剧末尾，她抱着弥留的"五号病人"号啕大哭，更是将整部戏推向高潮。

李宇春的挑战又大获成功，人们纷纷对她的表演表示肯定和赞许，可谓好评如潮。

在北京保利剧院的 14 天演出结束后，"玉米"@葱不呲克说："感谢小梅医生在这个没有'Why Me'的春天一连 14 天的陪伴，我们借此腐了败、宵了夜、会了外地的朋友，最重要的是我们自己办了花展！北京站完美收官，期待后面的精彩。"

赖声川导演说，"李宇春很聪明，很快就掌握要领，进入戏中，有了惊艳的表现"，"第一次演舞台剧，李宇春的表现超乎想象"。

文化中国集团副总裁、资深娱乐策划人杨劲松称赞道："看《如梦之梦》最大惊喜还是李宇春，她的精彩舞台处女秀给了赖声川。"

不放过任何能挑战自我的机会，把每一件事做得精致漂亮，梦想的天空也就会永远彩云飞扬……

🎤 独立、坚强、富有责任感的一代

作为中国乐坛具有划时代意义的顶级女歌手，李宇春的影响力早已超出娱乐圈的范畴，已经延伸到了审美、文化甚至思想等领域，她也顺理成章地成为当今中国社会的标志性人物之一。

至今，李宇春已有近百首冠军单曲；2006 年发表首张专辑《皇后与梦想》，年度销量 137 万张，创造当年华语乐坛唱片销量神话；之后《我的》《少年中国》《李宇春》《会跳舞的文艺青年》《再不疯狂我们就老了》等均稳居销售冠军宝座；个人演唱会屡创票房纪录，更成功开创华语乐坛个人演唱会品牌先河，如今"Why Me"演唱会已成为华语乐坛每年最具标志性的演出活动之一。

2007 年，作为唯一的中国内地歌手，李宇春在美国拉斯维加斯获得"中美娱乐先锋人物钻石奖"。2008 年，在马来西亚 MTV 亚洲大奖上，她摘得"中国内地最受欢迎歌手"大奖。2009 年，在第 9 届全球华语歌曲排行榜颁奖礼中，她获得最高荣誉"最受欢迎女歌手"大奖，打破了这一奖项之前八年由港台地区及海外歌手垄断的局面；同年，在韩国举行的亚洲音乐节上，她获得"亚洲最佳歌手"大奖。2011 年，李宇春成为史上第一位"香港十大中文金曲"颁奖礼"全国最佳女歌手"获得者。

2013 年，当地时间 5 月 22 日，戛纳电影节第七日，作为巴黎欧莱雅新晋代言人，李宇春虽是首次现身戛纳红毯，却也从容自信。她不盲从规则，依然独树一帜、自显其能；她一如既往地不追逐镜头，却引来大量闪光灯、谋杀无数菲林。李宇春的戛纳行不张扬、不夸耀，只是如一阵春风吹过。有人这样评价她：春风赤焰一相逢，便胜却人间无数。

同年 11 月 10 日，第 20 届欧洲 MTV 音乐奖的颁奖礼在荷兰首都阿姆斯特丹举行，李宇春作为华人唯一歌手代表，击败 Justin Bieber（贾斯汀·比伯）等全球强劲对手，摘得"全球最佳艺人"奖。

这个年轻的中国女孩，正如美国《时代周刊》所说，已然成为"中国流行文化代表"。她的中国当代流行乐坛头号女歌手地位实至名归。

李宇春还是全国青联第十届委员会委员，中国首位登上邮票票面的歌手艺人，首位以歌手身份受邀入驻杜莎夫人蜡像馆的内地艺人，唯一一位登上 2008

年北京奥运会官方宣传册、用九种语言向全世界介绍的中国艺人，唯一一位两次登上美国《时代周刊》的中国歌手……无数社会荣誉与头衔并没有使这个女孩沉沦，她用成绩打动公众、用实力赢得尊重，真正做到了荣誉等身。

由于李宇春的成功，有人问她对 80 后的看法，她说："很多人说 80 后是一夜成熟，其实我们本来就是独立、坚强、有责任感的一代。"关于这一点，她真的是最好不过的代言人。

在很多人看来，80 后这一代人没有经历过灾难和贫穷，永远爱自己胜过爱别人，但李宇春却说："有时候，我们真的被低估了。"她深知自己的影响力，并一直试图用这份影响力去改变世人对 80 后的"错觉"。

一个人无论多么阳光，也会有苦闷的时候。李宇春时常给人一种冷静和忧伤之感。她跟很多 80 后一样，有爱有怨有悲有喜有泪水，但她绝不脆弱，一直坚强地用音乐，还有电影，以及老板的身份等证明着自己，她在追求梦想、创造未来，她不惧怕一切挑战，她在以自己的方式实现人生价值。

"只要你喜欢，认准了一件事，就要努力去把它做到最好。别人怎么说怎么看，跟你没有半毛钱关系，哪怕暂时看不到什么成绩，也不要气馁、不要抱怨，最重要的就是坚持，守得云开见月明。"

无论是 70 后、80 后，还是 90 后，只要能够坚持做自己，就一定能够守得云开见月明，华美皎洁照人间。

王宝强

—— 一滴水中有雪的过去和未来 ——

王宝强是一个由群众演员发展为明星的完美范例，也是农村孩子为理想而奋斗的圭臬和榜样。人们说他是能映照太阳光辉的一滴水，因为这滴水不仅有着雪的过去，坚韧、晶莹、洁癖；同时，雪的这种品性他会永远守望、保持。

杨刚 / 摄

1984 年 5 月 29 日，出生于河北省邯郸市南和县贾宋镇大会塔村。

1990 年，开始习武。

1992—1996 年，在河南嵩山少林寺做俗家弟子。

2003 年，到北京闯天下，在各剧组当武行群众演员。主演《盲井》获得第五届法国当代威尔电影节"最佳……"

2014 年 12 月 24 日，本色出演爱情贺岁喜剧《微爱之渐入佳境》。

2013 年 5 月 18 日，和贾樟柯导演的电影《天注定》主创人员共同出席第 66 届戛纳电影节。

2015 年 3 月 24 日，在录制真人秀节目时发生意外，右腿骨折被送医院治疗。

2012 年，在电影《追凶》中饰演变态杀手。10 月 19 日，和华谊合约到期，成立了自己的独立工作室 Stong Baby Studio。与徐峥、黄渤的喜剧电影《人再囧途之泰囧》刷新了国产电影票房和观影人次纪录，成为中国电影市场新的华语片票房冠军。

2011 年，主演电影《hello！树先生》，在第九届俄罗斯海参崴国际电影节获得最佳男演员奖。

王宝强
大事年表

......主演奖"、第......十届台湾电影金......奖"最佳新人奖"......义第二届粤会国际电影......节"最佳男演员奖"。

2004年，参演冯小刚贺岁剧《天下无贼》，赢得关注。

2006年，主演电视连续剧《士兵突击》，成功地塑造了许三多这个角色。

2007年，成为由网友投票选出的"2007年80后十大影响力人物"之一，引起社会各界广泛关注。

2008年，发行首张EP《有钱没钱回家过年》；发行单曲《出门靠朋友》；推出单曲《势不可挡》。登陆央视春晚领唱《农民工之歌》。推出首部自传《向前进———一个青春时代的奋斗史》；主演电视连续剧《我的兄弟叫顺溜》。受聘"第七届首都大学生绿色形象大使"，被中国红十字基金会正式聘为"农民工援助基金爱心大使"，被联合国劳工组织聘为预防农民工艾滋病的形象大使。

2009年，担任浙江低收入农户青少年关爱行动形象大使并拍摄公益广告；与华谊群星参加《大爱谊家》双年会会歌曲秀，演唱歌曲《做有意义的事》。

2010年，出演战争系列电视连续剧《为了新中国前进》。主演电影《人在囧途》。担任由上海世博局、中国网络电视台和百视通公司联合举办的"世博寻宝计划"活动大使，中国扶贫基金会公益项目爱心大使，中国扶贫基金会"小包裹 大爱心"爱心包裹公益项目爱心大使。

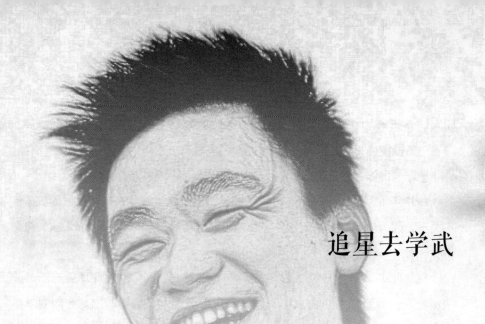

追星去学武

《少林寺》唤醒功夫梦

王宝强生于 1984 年 4 月 29 日，他的老家在河北省南和县大会塔村，离邢台市不远。

住房问题曾是他父母亲心中的痛。"那时候家里穷，王宝强的爷爷只有五间小房子，却有四个儿子，我们家当时只分到一间。"王宝强的母亲说。为此，成名后的王宝强又在大会塔村盖了一幢新房子。这幢房子离公路只有十几米远，尽管周围的房子以农村的标准来看已经很气派，但与王宝强家的一比，就相差甚远了。

他们家里的老房子依然保留在村东头，盖这房子时极其不容易。王宝强的父亲是一位泥瓦匠，靠着在村里帮别人盖房子，这才攒了一些钱，当时那间房子盖好了都没钱吊顶，抬头就能看到大梁。因此，盖房子前后好多年，他们家一切都得从俭。王宝强出生的时候，已经有一个哥哥和一个姐姐。"新老大，旧老二，补补衲衲给老三"，王宝强的童年就没有穿过一件囫囵的衣服。

王宝强性格内向、憨厚老实，许多孩子会欺负他。王宝强的父亲是一位复员军人，1969 年参军，在部队干了六年，因而他总是看不上儿子的"弱"。王宝强在外面挨了别的孩子的打，回家后，恨铁不成钢的父亲不问缘由，仍会以打的方式让儿子"长志气"。王宝强曾说，"打，被爹像拉小猪一样拎着一条腿从路上拉回家，一把摔在院子里，这时自己吓得连哭都忘了。父亲拿着赶车用的马鞭子，一下一下抽在身上，那印子一个星期都下不去。"

憨厚与倔强往往连在一起，而倔强里又蕴藏着韧性和毅力。

1992年6月的一天晚上，村小学的操场里拉起了银色幕布，村里的孩子们非常高兴，因为一年难得来一次的电影放映队来了，而且听人说，那天放的电影会特别好看。

夜幕降临，开始放映了。电影名叫《少林寺》，果然令人耳目一新，画面美丽壮观，情节扣人心弦，孩子们一个个看得连大气也不敢出。当时对饰演主角觉远和尚的李连杰的那一招一式，王宝强虽然不会说"静如处子，动如脱兔，收放自由，线条优美，节奏分明"，但他知道那样的武功看了让人豪情满怀、让人浑身有一种力量直往上冒，"弱弱"的王宝强顿时有了一个大胆的念头：去少林寺！

"发什么呆，电影早放完了，该回家睡觉了。"妈妈打破了他的冥想。王宝强只好嘟着嘴，收起小板凳，牵着妈妈的手回家了。

王宝强当时的想法很质朴，也很现实——学会一身过硬的武功，看谁还敢欺负我！同时他还想，要是有了李连杰那样的功夫，自己也就能像他一样演电影、当明星，风风光光，让人瞧得起，到时候别人肯定不会再欺负自己，仰慕还来不及呢！

"我要去少林寺学武。"经过了几天的思考，他对爸妈说出了这八个字。一开始，他爸妈以为他在开玩笑，并没有当真，还对他说电影里的东西都是假的，哪有人真会那么厉害的武功啊。

那年他才八岁，同龄的孩子才上一二年级，有的要爸爸妈妈背着送才肯去上学。王宝强的父母对他挺不放心的，说："你打消这个念头吧，好好在家里念书，即使要去也要过两年再说。"王宝强的倔劲上来了："我一定要去的，就是打我也要去。"妈妈指着满满一盆脏衣服说："你能把它们洗干净了，你就去。"

> **王宝强语录**
>
> ❝内心健康才能外表阳光。我很感谢我的爸妈把我生在农村，因为农村的环境很朴实。❞

洗就洗，他甩开膀子洗了起来。还真有他的，一大盆衣服不到一个小时就洗完了，妈妈看了看，洗得还算干净。妈妈是担心他到了少林寺连衣服也不会洗，穿得脏兮兮的。

临走的前一天，妈妈紧紧抱着儿子不放手。她舍不得他，抱着他一直坐在炕上哭。王宝强就拍着妈妈的肩膀说："妈，我一定会好好学，把武功练好，将来挣大钱，让妈妈过上好日子。"王宝强说这些话让妈妈觉得他挺懂事的，也更加伤心，双手抱得更紧了，"好，妈妈就相信你一次，你一定能做到。"

妈妈给他收拾好需要换洗的衣服，嘱咐他一定要学会照料自己，和师傅师兄弟处理好关系。妈妈一直说，说了很多。王宝强说："请妈妈放心，不懂的地方，我会向人请教的。"

第二天一大早，王宝强就在爸爸的陪同下，踏上了去少林寺的路。列车一路飞驰着，青青的远山，碧绿的田野，淙淙流水，迎面扑来泥土、山水和庄稼的气息，王宝强只觉得舒爽惬意，对以后要独自面对少林寺的生活没有丝毫的担心与害怕。在向往外面世界的王宝强的眼中，这一切都太美好了。

追梦少林寺

1992 年 9 月的一天，到了河南嵩山少林寺门口，王宝强就开始好奇地张望着周围，他心里纳闷：怎么没有人拍电影啊？《少林寺》不就是在这里面拍的吗？这时，有一位师傅从他身边走过，他紧紧拽住了这位师傅的衣袖，"李连杰在哪啊，他怎么没有在这里？"

师傅看着小小的他，笑了起来："你是因为李连杰来少林寺的，是不是来学武的？"王宝强心想，这位师傅真行，能说到人的心坎上。他一边使劲地点头，一边大声地说："我要做李连杰，我还要拍电影。"师傅看着眼前这个充满梦想的孩子，脸上溢出了笑容。这个师傅就是释延宏，后来成了王宝强的师父。

不过，释延宏收他为徒，也是费了一番周折的。少林寺有少林寺的规矩，不是去了就会接受你。王宝强经人引荐，来到武僧释延宏面前。身为少林寺护寺武僧总教头、少林寺第三十四代功夫传人，释延宏收徒最看重的是一个"缘"字。王宝强向释延宏拜了一拜，说："请师父收下我吧！"释延宏说："先不要着急嘛！"他让王宝强站在面前，仔细地给他摸起骨来。摸着，释延宏开怀笑了，因为他心中想的是：这孩子骨脉不错，人又聪明，太适合练武了。见师父脸上笑出了一朵花儿，王宝强知道会收下他了。

经师兄们的指点，遵照一定礼节和程序，王宝强拜了释延宏为师。被王宝强执着的志向所打动，释延宏师父给他的法号中取了一个"志"字——恒志。

当时，释延宏尚没有创办护院武僧功夫院，就带着十几个弟子在少林寺对面的山坡上练功。

王宝强知道，要给人以光亮，得首先让自己明亮起来，要拼命地积累能源。那段时间，他剃光头、吃素。最初三年是基本功练习，很苦。晨练，冬季得在凌晨5点，夏季则是4点，王宝强和师兄弟们就要起床。周一周二是素质训练：长跑，多数是从少林寺跑到登封市区，再返回来，十多公里，相当于一个半程马拉松；有时也会从少林寺跑到山上的达摩洞，这是一种加强训练。

一天，王宝强和师兄弟们一起向达摩洞跑着，山坡很陡，他依然使劲迈开步子，一路向上奔跑。他们来到一个地方，那几乎是一道悬崖，刚好又下过一场小雨，就是不下雨，也得手脚并用才能爬上去。下雨后石头较滑，王宝强抓住树根或石罅，用尽力气，这才攀爬上去。而这样的跑步，仅仅是拉开韧带的准备活动。

吃过早餐便开始武术训练了，午饭后稍作休息再上文化课，晚上还要将当天的训练内容复习一次。下盘是功夫的基础，开始时腿功是训练的主要内容，每天都要练踢腿、劈腿，马步、虎步、扑步，训练强度一点一点增加，每增加一次，第二天就会浑身酸疼。

学习武术自然免不了挨罚，有时跑得慢了，被师傅罚扎马步，往往一扎就是三个小时。有时师兄弟们调皮或做错了事，也会受到师父的体罚。一次，王宝强前一天晚上练功的时间太

> **王宝强语录**
>
> 66 成名的人不一定成功，因为他们有的根本就没有吃过苦。 99

长，第二天跑步时体力欠佳，结果跑在了最后，他就主动领罚。见他在扎马步时虚汗直淌，好心的师兄弟们劝他向师父报告一下，改天再罚，可他硬是坚持着，时间刚到，他就摇晃着摔倒在地，连师父看到后也深受感动。

为了梦想，不怕跑龙套

踏实、认真、较劲儿，使得王宝强进步很快。王宝强基本功不好，但勤能补拙，每天他都会比别人多练上一到两个小时。太累了，师兄弟们会哭，他却说："有什么好哭的，咬一咬牙就挺过去了！"别人哭着回宿舍去了，他却练得正欢。

三年后，王宝强开始学习各种拳法套路。一般来说，学动作、招式很容易，可是每个招式都有很多讲究。比如说出拳，右手出拳要有很快的速度和爆发力，同时左手还要化解对方进攻，押拳，一抓一钩，把最简单的练好都不容易。练习拳法套路时会更苦，师父看他身子比较结实、上臂比较强壮，就让他练二指禅。那可以用"残酷"二字来形容，每天练功结束都感觉浑身酸痛，有的时候疼得受不了，连喝水吃饭都非常困难。

二指禅在少林寺多是表演性的项目，但王宝强的理想是拍电影，因此，他觉得应该像李连杰一样，练习一些武术套路和刀枪剑棍。于是，他更换了练习的方向，开始练习螳螂拳、长拳什么的。

"王宝强在我们师兄弟中，是家庭条件比较困难的一个，他家是靠庄稼吃饭的，说不好哪年收成好、哪年收成不好。父母给他的家用也不多，生活还是比较困难的。他吃得也少，就是一个劲非常认真地练功。"王宝强学武时最好的朋友，后来在少林寺的一家武术学校担任武术教练的张刚曾这样说。

在少林寺，一切都服从自己的理想，六年的时间，王宝强只有一个想法，就是拍电影。当时师兄弟们都嘲笑他："王宝强，你个子这么矮，长得又不帅，武功练得又不是师兄弟中最好的，别痴心妄想了。还说拍电影，最多在少林寺做个武术指导罢了。"王宝强听了，只是微微一笑，依然做着他认为应该做的事，以至有一段时间，师兄弟们都认为王宝强快疯了。

只要什么电影摄制组到少林寺取景，不管拍不拍武打动作，哪怕只是露脸做个群众演员，王宝强绝对是冲在最前面的那个。不管他当时在练功，还是在吃饭，只要一听到有摄制组到了少林寺，王宝强立刻放下手里的东西往外奔。开始时，师父还会批评他两句，到后来，大家都看他执着得可爱，连师父也会主动把来人拍电影的消息告诉他。

　　为了多学一些功夫，也为了省钱，在少林寺的六年中，王宝强只在过年时回过家，父母曾几次想去少林寺看他，他总也不让去，说："你们够辛苦了，来往会耽误农活，会让儿子心中不安。"其间，王宝强写过三封信回家。王宝强的妈妈不认识字，第一次看到儿子的信，看到了儿子寄回的一张相片——他剃了光头，穿着和尚练武的衣裳，露着一只胳膊。她当即就掉下了眼泪。不过，见到儿子结实紧板的胳膊肘儿、健健康康的身子，而且还能写信了，妈妈心里也有了几分欣慰。

　　王宝强说，他觉得人生中最快乐的时光，就是在少林寺度过的。其实他是苦的，快乐的是他认为有希望在。

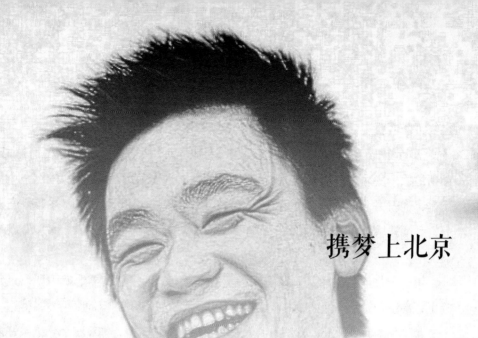

携梦上北京

连看不到脸的角色也很难有

十四岁时，王宝强认为自己应该能养活自己了，于是拜别师父和师兄弟，从少林寺回到河北南和县老家。临别时，师父对他说："你的武艺比师兄弟们都要强，演电影足够了，这是你闯荡世界的基础；要继续保持你的朴实和顽强，相信你一定能成功。"说着，师父握了握他的手，"等着你的好消息！"师父的鼓励让王宝强更加有信心："我会铭记师父的教导的。"师徒挥泪告别。

回到家，母亲非常高兴，对他说："你要是想继续念书，就去报名。"王宝强说："当然想上学，但家庭条件这样，我不上学了。"妈妈说："条件不好也能供你上高中。"王宝强坚持不再给家里人增加负担了。见儿子这样，妈妈说："那你就在家种地，农闲时跟你爸爸学瓦匠活，再过几年，娶个媳妇，为妈妈添俩孙子。"王宝强说，"妈妈别说了，我的心早已经'野'了，我是不会在家种地的。"

于是，父母为他准备了 500 块钱，王宝强带着这些钱独自一人去北京"闯天下"。"破小孩儿，过去点，别挡着道。"1999 年年初的一天，从河南郑州开往北京的火车上，一个身穿西装、有些发福的中年人用手指着十四岁的王宝强呵斥道。因为没有钱买坐票，王宝强只能蹲在车厢的过道里。虽然有着一身武功，但师父教诲过，要"以善为本"。王宝强强忍着站起了身，让中年人过去了。这件事更是坚定了他要做出一番事业的决心，他在心中嘀咕着：等我将来成了名，一定要买个坐票。

王宝强奔着明星梦来到北京，租了一个地下室，放下行李，铺好床，让师兄弟帮忙找一些演员的活儿干。师兄弟却说他运气不太好，这几天刚好没活儿了。于是，他就去北影厂门口蹲着。王宝强知道，自己没念电影学院，并非科班出身，必须先从群众演员做起。他和许多人一样，在北影厂门口等着，希望有剧组看上他。

第一天，他去得晚，只算是熟悉了地方；第二天，一大早他就去了，直到晚上，都没有剧组叫他去做群众演员；第三天，还是没有。但他坚持着，就这样一直蹲了半个月。那天，有剧组的人来了，看了看他，说，你算一个。结果好多人都和他一起去了：穿着大褂在明清一条街上走一遍，走完下场。你一定还记得《喜剧之王》里周星驰苦苦企求的样子："完全看不到脸的角色有没有啊？"，王宝强当时的境况也好不到哪儿去。尽管如此，他还是高兴了好一阵子：总算是开了个头。

王宝强希望这是开了一个好头，好运气能接二连三地找上门来，如果还是像以前那样"坐吃山空"，在北京就真的待不下去了。然而，一天又一天，无论怎么等，机会就是不露脸。他开始将那点儿有限的钱一个掰成两个花，不，掰成四个花，从不一天吃三顿饭。

有一天，他一大早就赶到北影厂等活儿干，可一直等到天黑也没有人挑上他。因为舍不得花钱，他一整天都没吃饭。终于回到住处，他一口气吃了五个馒头，之后一口水也不敢喝，他怕喝了水立刻会胀死。即使如此，剩下的钱也坚持不了几天了，这让他十分着急。人一急，主意也就有了：机会不是等来的，应该主动出击。于是，王宝强学会了在人群里奋力向前挤，学会了在人前展示自己从少林寺学来的功夫，这么做，当然也要学会忍受"同行"的冷眼甚至是谩骂。

当然，有时候运气也会偶尔"照顾"一

王宝强语录

❝ 在首都像在荒原一样，容易走失，人们各忙各的，蜗蛛和蝗虫永不相干。在荒原做兵时，我们像牧民一样深信教包的神圣，因为它是我们在迷路时唯一的标识，在这里，天安门是我所知的唯一标识。❞

下他。

2000 年 1 月的一天，北京电影制片厂门口，等候拍戏的人叽叽喳喳地乱成一团。摄制组有人来了，王宝强奋力地往前挤着，希望能够靠前一点，让来挑人的导演能够看清楚他的脸。"嗨，挤什么，这是我的地盘！"一个挺凶的人冲着王宝强喊。王宝强可管不了那么多，因为挤可能让自己挣到馒头，他还是拼命地往前挤。

这是电视剧《银鼠》的导演来了，正在前面挑人。导演看到了在人群中挤得满脸大汗的王宝强，或许是出于同情，导演朝王宝强喊了一声："你，出来一下！"前面的人自然地给王宝强让出了一条路，他端开武术的架势，蹦跳到导演面前。"会武打吗？"导演问。"会，我在少林寺学过六年，我给您耍一套！"给导演展示了最拿手的螳螂拳后，王宝强被选中了。在跟导演走之前，他回头狠狠地瞪了刚才冲着他喊的那个凶神恶煞的家伙一眼。

但这样的机会仍然不多，机会依然不肯伸出它吝啬的手。见他那种窘状，有好心人指点他："蹲在这儿的，大多是新来乍到的。真正有经验的人根本不用整天蹲在电影厂门口，因为很多挑选群众演员的副导演不去厂门口，他们只是找'穴头'。看来你的条件还是不错的，你应该去联络一下'穴头'。"好心人的话让他想起了在少林寺学习武功，同是学习六年，因为自己比别人有悟性，也肯努力，学的东西比别人多得多，看来做什么都得苦劲加巧劲。

为了找活儿，六个人凑钱买一只 BB 机

打那以后，王宝强频频向"穴头"展示少林功夫，情况果然有了一点儿好转。熟悉他的"穴头"说，会尽量多给他争取一些机会。但毕竟"僧多粥少"，没有那么多的龙套好演。于是，他又有了新的"开悟"：眼下最要紧的是解决肚子问题。王宝强开始和伙伴们一起去建筑工地打零工，虽然不包住，但能管吃，这让他不至于卷铺盖回老家了。

原来，王宝强等人租住房的周围住的也都是些外地来京打工的民工，因此不

少单位的人都会很习惯地到他们那个胡同去招临时工。有一天，在回家的路上，王宝强听到有人大叫："招小工，招小工，25元一天，包吃不包住。"他立刻跑了过去，激动地对那人喊道："我，我，我报名。"

第二天，他就跟着这个人来到了海淀区的一个工地上，被安排搬砖头。搬砖的活儿看起来容易，做起来却很难，他们做的是"点工"，即以天结算工钱。工头让他们发挥出"最大的劳动效率"，除了中午吃饭时间，都必须干活。王宝强就一次抱着十二块砖头从码放之地搬到砌墙的地方去，这是一个力气活，一天搬的砖头、走的趟数数也数不清。虽说工地包吃，但伙食差得没法说，亏得王宝强是少林俗家弟子，吃素且吃得少，才没什么太大的感觉。

刚开始做搬运工，王宝强还咬牙撑着，但当时只有十四岁的他后来实在坚持不下去了。每天回到住处，他腰酸疼得直不起来，两只膀子肿得像萝卜一样。于是，他决定换个工种，又在招工的地方找到了一份粉刷墙壁的工作，不是力气活，做起来不太累。不过，这个活儿是以月结算工资的，管吃外，每月只有100块钱。

2000年，王宝强十六岁，在北京漂泊了两年，也交到了一些朋友。为了互相有个照应，也为了省钱，他和另外五个人以一个月120元的低廉价格，在北沙滩一个煤场旁边租了大杂院里的一间十平方米的房子。价格低廉，条件也就非常差，房子朝北，年久失修，墙上的墙皮都脱落了下来，冬日里北风一刮，满堂都是风，被子好半天都捂不热乎。上厕所也很麻烦，走出院子后，还要再走两百米。

王宝强说，只要能找到活儿，这一切都会成为过去。可是，当他找演出的活儿时，别人往往会说，这几天不缺人，你能给我们留一个电话吗，需要人时就给你去电话。电话对王宝强来说自然是奢侈品，但电话太重要了。后来他们六个人商量，一个人买不起，大家可以一起凑钱买。这可是个好主意，于是他们一起买了一只数字显示的BB机。

手头有了一些钱，王宝强又去找"穴头"。"穴头"告诉他："遗憾，最近不需要演龙套的，你把BB机号留给我。"看到他那失望的表情，对方又说，"你不是会腿脚功夫吗，剧组倒是要做替身的武行。"这让他高兴起来："这有什么不行，别人能做的事我就能做，就是别人不愿做的事，我也可以去尝试。"对方说："那就这样说定了。"王宝强很庆幸，脚下的路又宽了一步。

于是，他真正得到了一份拍电视的工作。导演这次不是让他做群众演员，而是让他做一个演员的替身——蒙着面，在夜里去刺杀人。使剑对他来说当然没什么困难，但是第一次真正担任角色，他多少还是有些紧张。王宝强觉得自己的表现很差劲，一会儿位置站错了，一会儿动作不到位，这场不太多的戏他拍了整整一夜。

剧组给了王宝强 100 块钱。一个晚上挣 100 块钱，这对于当时已经吃了上顿愁下顿的王宝强来说，算是雪中送炭了。拿着这 100 块钱，他哭了。之前再怎么想家，再怎么艰难，他都没有哭，但这次他哭了，因为终于又向前迈进了一步，他终于看到了希望。

做武行本身就是件既辛苦又危险的事，他要比别人做得更好，其辛苦与风险也就不言而喻。一次，王宝强在北影厂门口接到了拍摄《巴士警探》的活儿，他为剧中的男主角充当替身。虽然报酬不过每天 50 元，但他必须一次次地攀上高高的梯子，再一次次地摔下，而且是直接往水泥地上摔。坚硬的水泥地上没有任何保护措施，王宝强能听到自己每次摔下时'砰'的声音。

有时，王宝强还必须被别人死死地扣住手，然后再狠狠地摔到地上。对于这样的摔，有"经验"的老武行只是假摔做做样子，王宝强却总是真摔。摔完了，王宝强爬起来还眨眨眼，冲着导演直笑。导演很满意地点点头，说："很真实，有武功的人果然不一样。"其实，王宝强摔得浑身都青了，但能得到导演的认可，他认为所有的付出都是值得的。

值得是一回事，痛苦是一回事。最痛苦的时候，王宝强带着满身的伤躺在工地的房间里，望着天花板。他觉得自己的前途就和天花板一样，没有缝隙，被死死地堵住了。不过，他很快就打消了这样的念头，他相信，只要坚持，不怕吃苦，自己的人生一定会如天花板下的那几扇窗户，会有阳光透进来，亮亮地照射在他的身上。

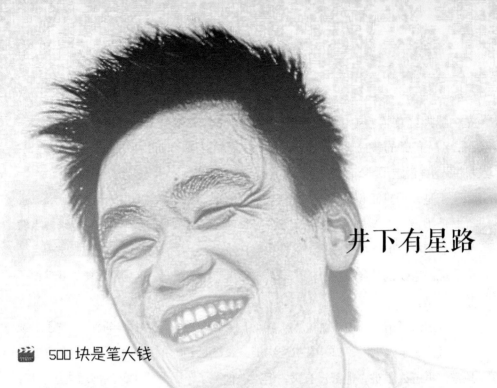

井下有星路

📽 500 块是笔大钱

　　见他日子过得如此艰难，有人又劝开了："你不是李连杰，也不是成龙，武术也没有获过奖，还是认命吧，回去也许是一个好庄稼汉。"他并不理会。

　　有时人生的路就在执着中，执着地坚持了，冬天就会过去，春会也会到来。2002年春天，对他来说，可谓"东风好作阳和使，逢草逢花报发生"，人生的东风开始在他生命的天宇中吹拂，生命原野里的花花草草也可劲地生长和涌动了。

　　那天一大早，在赶往建筑工地的路上，王宝强的呼机响了，一看显示的电话号码，他知道是摄制组的，一下高兴起来，脚下的步子也轻快起来。原来是《盲井》剧组通知王宝强去见导演李杨。《盲井》对他来说，是一个命运的转折点。

　　王宝强和李杨导演之前已经有过几次接触，比较熟悉了，他笑着问："这次的群众演员在影片放映时能看到一张脸吗？"李杨也笑了，说："这次不光能看到一张完整的脸，而且会让你'大大露一次脸'！剧组已经商量好了，该片中不让你做群众演员，也不让你做武行，给你的是一个大任务。"王宝强笑得更来劲儿了："多大的任务，是主角吗？"李杨一击手掌说，"嗬，还真让你说对了！"王宝强有些不相信，又看看李杨导演，他脸上没有一点开玩笑的意思。这下王宝强可有点紧张了，"我行吗？我长得不好看，脸上还有雀斑。""怎么不行？凭着你在武行表演中硬摔的劲儿，这个角色你一定能演好。"原来，李杨让他出演的是《盲井》中的男主角元凤鸣，一个进城打工几次被骗的少年。

李杨给了王宝强 500 块钱，告诉他这是预付的片酬。王宝强想起自己来北京时，爸爸东拼西凑才给了他 500 块，不禁脱口而出："500 块啊，是笔大钱！"听得出，王宝强的声音里带着一丝颤抖。他想，终于守出一个"月花头"了，人生天空中的乌云就要散去了。我一定要好好演，要对得住李杨导演，对得住这次机会。

出了《盲井》，走向《天下无贼》

导演果然没有看走眼，王宝强虽说没学过表演，但在片场他只坚信一条：相信导演，导演让怎么演就怎么演。

《盲井》里有下井的戏，几百米深的矿井，要求演员到矿井中拍摄。矿井下有水，冷飕飕的，而且非常脏。更危险的是，下矿井可能会遭遇塌方。一次，李杨和王宝强拍摄完一组镜头，两人就离开了，刚走出几米远，突然就听到身后"呼啦啦"一阵响。他们回头一看，刚才待的那个地方塌下几十吨重的泥土，这让他们两人都冒出了冷汗。

一听说此事，很多演员都放弃了拍摄。王宝强可不愿放弃。他想，李杨导演看重的就是自己的那份真诚和朴实。第二天，又要到矿井下拍摄，王宝强二话没说就下了井，并认真拍好每一个镜头。

《盲井》是部低成本电影，拍摄中资金还出现过问题，最困难的时候，连买瓶矿泉水的钱都没有。王宝强一直坚持着，还自掏腰包买水喝，拍戏的情绪丝毫没受到影响。李杨感慨地说："这行里聪明人太多，很多人拍电影就是为了成名，为了赚大钱，遇到危险就跑了。王宝强却不是这样，这小孩儿行！"

李杨这些发自肺腑的话，不光是称赞王宝强不怕吃苦，更是赞赏他将角色拿捏到位。《盲井》改编自刘庆邦的小说《神木》，讲的是两个生活在矿区的无职业者将打工者杀死在矿井下，然后冒充死者家属向矿主讹钱的故事。小男孩元凤鸣成为他们的下一个目标。在天真无邪的元凤鸣的感化下，其中一个谋杀者宋金明的情绪发生了变化，后来与同伙唐朝阳反目成仇，最终两人都死在了深深的矿井下。十六岁的男孩元凤鸣最后竟成了领取两个杀人犯"抚恤金"的"亲属"。

影片的结局具有很深刻的意义。在人性的善良与丑恶面前，王宝强饰演的元凤鸣一次次用他的正直、善良和正义，慢慢地感化着谋杀者，最终唤醒了宋金明内心深处被埋藏的"同情、自省"，在不经意中挽救了自己，同时也埋葬了宋金明、唐朝阳两人的罪恶。

出演《盲井》时，王宝强只有十六岁。一个是名不见经传的导演，一个是不谙世事毫无表演经验的小孩，却拍出了一部好看的片子。《盲井》中王宝强饰演的元凤鸣，处处表现出一种"草根"的质朴本色。元凤鸣是这样出场的：在洛阳市街头一群找工作的闲散人员中，元凤鸣背着卷好的铺盖，漫无目的地走着……这个小孩被王宝强演得很活，极具质感，那种找工作时的茫然、煎熬和期盼，以及找到工作后的惊喜，无不被王宝强刻画得淋漓尽致、入木三分。

到北京两年多了，回老家只要四个半小时的火车，王宝强硬是没有回去过一次。他也没有给家里写过一封信、打过一通电话。拍完了《盲井》，王宝强觉得自己到北京后总算做了一件像样的事，有底气跟家里人说说话了。于是，他来到一个小卖部，给家里打了到北京后的第一个电话。"你怎么回事啊？现在才打电话回家，也不知道你是死了还是活着，妈想你想得都快生病了，爸也担心得要命。你这几年哪里去了，好歹给家里报个平安啊……"等哥哥骂完了，王宝强才开口说了第一句话："你们都好吧？庄稼怎么样啊？我在北京做男主角了，拍了部片子叫《盲井》。"说完，两边都哭了。

> **王宝强语录**
>
> 在泪水中看见一个自己，很多个自己，各种各样的自己，投降的自己，屠弱的自己，哀怜的自己，悲愤的自己，欢乐的自己。

付出总会有回报。如果你是努力的风，用力吹拂了，乌云就会被刮走，就会有暖融融的太阳照着你。电影《盲井》在艺术上获得了极大的成功，在2003年的柏林电影节上，《盲井》击败了张艺谋的大片《英雄》，获得艺术贡献银熊奖。王宝强也凭借着在《盲井》中的出色表现，获得第五届法国杜威尔电影节"最佳男主演奖"、第四十届台湾金马奖"最佳新人奖"，以及第二届曼谷国际电影节"最佳男演员奖"。

从此，王宝强更加坚信一个道理：自己身上的本色本质，才是大多数导演看重的，如果保持不住，也就没人稀罕他了。不过，《盲井》的成功并没有让王宝强的生活有多大改变。虽然表演获了奖，但王宝强的片酬并没有多少，不过1000块钱，预付了他500块，拍摄完成后他拿到手的是剩下的500块。他仍须在片场和工地间来回奔波。好在王宝强已经让自己"奋力向前挤了一挤"，电影圈很多人从《盲井》中认识了他，记住了他那张真诚朴实的脸，以及他不凡的表现，其中就有已经来大陆发展的台湾电影人陈国富。

2004年，陈国富作为监制与导演冯小刚合作《天下无贼》。剧中有一个角色叫"傻根"，最初是为知名演员夏雨准备的，有些量身定做的味道。碰巧的是，夏雨当时在拍另一部电影，档期有冲突。"傻根"是一个心地澄明，纯洁、善良的人，剧中的一句台词最能说明这一角色的性格："山上的狼都没害我，我就不信人会害我，人怎么说也不能比狼还坏吧？"

这样的角色让陈国富很快想起了《盲井》中憨厚淳朴的王宝强，认为他本身就是一个

王宝强语录

66 每个人都是别人的一面镜子，你在说别人傻的时候，可能正是自己犯傻的时候。我觉得永远不要把别人看得很高或者很低。尊重别人就是尊重自己。 99

王宝强 一滴水中有雪的过去和未来

"傻根"，于是就向冯小刚推荐。由于很多明星都有档期问题，冯小刚先问王宝强四个月行不行。王宝强知道，冯导这是把自己当明星了，可自己别的没有，就是有时间，就连连点头说："行，一年都行。"一部《盲井》，一颗不惧到深井下拍摄的心，以及一鸣惊人的演技，就这样让王宝强踏上星路。

《天下无贼》中王宝强的表演让冯小刚非常看好，因此冯导决定将这部电影纳入自己的贺岁片体系，配以众星捧月的超强阵容，对《天下无贼》极力推介，大有不捧红王宝强不罢休的气势。果然，《天下无贼》得以大卖，王宝强名气与身价一路看涨。

之后，一切都顺理成章，"傻根"在《殷商传奇》里成为哪吒，在《暗算》里成为天才少年阿炳。紧接着，王宝强这颗新星终于在影视天幕上闪烁起来。2007年，《士兵突击》在全国各大电视台热播。"兵王"许三多一下子就征服了许多观众。许三多既单纯又执着，给人的印象是笨、憨、木讷，就是这么一个人，在军人的世界里摸爬滚打，却演绎出一幕幕生动而感人的画面。笨笨的许三多，让全连人跟着受累；认真的许三多，让全连队为之感动；执着的许三多，让全连队为之骄傲。《士兵突击》让观众

经历了一场措手不及的情感突击战，男人之间的"肝胆相照"在隆隆炮火中开出了花。许三多的扮演者就是王宝强。

🎬 想做的事一定要做成

许三多让王宝强的名字叫得更响，他也习惯把自己的生活和许三多对应起来："《盲井》像是史今，把我带入部队；《天下无贼》像是袁朗，让我真正知道演戏是怎么回事；《暗算》让我在演技上有了突破；《士兵突击》让我真正奠定了位置。"

王宝强非常感谢这几部戏的导演，他说："以后只要是他们的戏，让我演死尸我都去演。"

《天下无贼》拍完后，王宝强觉得无以为谢，就从家乡背了一袋小米送给了冯小刚。

对王宝强来说，每一次机会都是最后一次。他勉强念了个小学，文化程度实在不高。一次，《周末》的记者采访他，采访快结束时，记者让他给《周末》的读者说点什么，他爽快地答应了，提笔在记者的采访本上写了起来。在写到"报社"的"社"字时，他非常认真地抬起头问记者："这个'社'字是一点还是两点啊。"写完后，他叹了口气说："目前，我有两大遗憾，一是从八岁起就一直没好好和父母在一起生活过，二就是我没有正经地上过学。没有文化在如今的社会是没有立足之地的，我最大的愿望就是去上学。"

他的剧本台词，许多都得靠翻字典来注音。别的演员是拍一场戏记一场戏的台词，他是下足功夫，提前把所有的台词都背下来，他说这样方便导演调整。刚开始的时候，记台词要花好久好久，后来窍门越来越多，也就记得越来越快了。

除了记台词外，拍摄每一部戏都和《盲井》一样，他都下足了"真"功夫。拍摄《士兵突击》时，剧组实行军事化管理。为了保证真实性，王宝强坚持每个镜头都自己来，从不用替身。剧中有一场许三多在操场上做333个腹部绕杠的戏，为了把这段戏演好，王宝强平时不断训练，大拇指上竟蹭掉了一块肉，腰也扭伤过。还有一次，拍摄水里面的两场戏，王宝强在水里泡了足足三个小时，上岸后，腿都肿了。

2012年，他参加了《泰囧》的拍摄，这部戏让王宝强吃了不少苦头。有一场戏是黄渤、王宝强要在清迈的街头展开一番追逐，起初试戏时一切正常，待正式拍摄时，司机师傅却不慎走错了车道，与前方一辆行驶过慢的小车发生追尾，车直往前冲。糟糕的是，在副驾驶座上的王宝强没系上安全带。随着巨大的冲击力，他的身子飘了起来，一头撞上了车窗

玻璃，"飞车戏"变成了"真撞车"，这可把一旁的黄渤和导演徐峥给吓坏了。事后，徐峥心有余悸地说："送医院检查，医生说是轻微脑震荡，无大碍，这才算放心。"

《泰囧》全片最"大制作"的动作戏，就是王宝强和徐峥驾驶的汽车在山坡上飞跃丛林掉到河里。在此之前，因影片结尾有一场"泰拳对打"的戏，为了拍摄出逼真的效果，王宝强已经进行了数周泰拳集训。拍摄汽车掉到河中这段戏时，他已经是伤痕累累，且正是雨季，河中水流湍急。"河里全都是石头，他又添了好多新伤，水流特别急，连站都站不住，好多次要被冲走，更要命的是水里全是大象屎，人一张嘴就灌一嘴。"导演徐峥每每说起这段拍摄经历，总会竖起大拇指，对王宝强拍戏肯吃苦的精神称赞不已。

王宝强知道自己要什么，那就是不断挑战自我。

陈德森导演要拍摄电影《一个人的武林》，其中有个角色封于修，天生残缺，因武痴、为武狂，专杀武功高强者。谁能胜任这个角色呢？陈德森想到了王宝强。

陈德森知道，这个角色对王宝强来说是一种挑战，对他自己来说也是一种挑战。王宝强之前也演过疯癫的人，但一直都是用搞笑的方式去演。最初见到王宝强时，陈德森很诧异："这就是在银幕上极其受人追捧的王宝强吗？！"因为王宝强很瘦小，讲话声音也不大，当时陈德森就很怀疑：他真的能打吗？于是就让他试试。王宝强当即亮出一招，陈德森之前的怀疑立刻变成惊讶：自幼习武的少林弟子，功夫底子确实了得！

正在导演暗暗叫好时，王宝强见到练武之人常见的一块木板，他先是用头抵在木板上卖萌，又突然"发功"，将木板迅速粉碎。一个人们曾经熟悉的"调皮宝宝"，尽显"凶狠宝宝"的一面。

见导演终于敲定他出演封于修，王宝强想，实现梦想的机会终于来了，这一部电影将是自己功夫梦开始的地方。自小习武的王宝强，最初踏入影视圈时，就希望能以动作片成名，但没想到却走上了喜剧之路，而今终于要有自己的功夫影片了，对自己对"粉丝"们也总算有了一个交代！他要借这一角色尽情展现自己。

王宝强当即对导演说："每一个高手都有属于自己的武林！"对于挑战阴冷凶暴的武功高手这一新角色，王宝强表示："我喜欢挑战，我相信我是勇敢的。按角色需要，每一个动作尽可能打得忘我，也让自己打得过瘾！"

在演出中，王宝强完全做到了自己所说的话，不管是穿着高低不一的鞋子，还是车水马龙中的激战，王宝强从来没有胆怯过。

陈德森后来回忆起拍摄细节时，称赞道："王宝强真的是一个十分专业的演员。"欣喜之情溢于言表。陈德森还透露，"今后如有机会，会促成王宝强和成龙大哥合作，做最好的功夫喜剧。""成龙大哥和王宝强合作打造一个'龙兄虎弟'组合一定非常好看！"

《一个人的武林》于 2014 年 10 月 31 日公映，凭借拳拳到肉的动作场面，也就是一个"真"字，获得众多网友的好评，被网友誉为"继《叶问》后最好的功夫片""是一场令人热血沸腾的视觉盛宴"。不少观众都表示，"看到片尾彩蛋眼眶湿润了"。

王宝强的转型成功了，勇于挑战自我的他又为自己拓展出了一片鲜亮的天地。

王宝强说："我不聪明，但我一直很清楚我想要什么，而且，我想做的事情一定要做成。这可能和我从小练武有关系，因为武学的精神就是坚忍不拔嘛！"我们也看到了，坚忍一直伴着他前行。

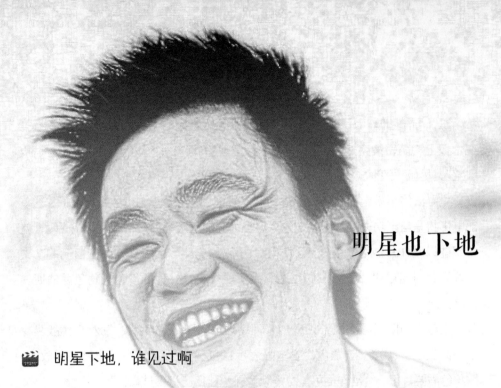

明星也下地

明星下地，谁见过啊

《有钱没钱回家过年》，王宝强的这首歌已被广为传唱，它是王宝强音乐之路的开山之作，讲述的是他多年来在外打拼的心酸经历。这首歌记录了一个草根的"漂泊"。

"……有钱没钱 回家过年

我知道你想衣锦把家还

有钱没钱 回家过年

家里总有年夜饭

孤独的灯光 陪我在小巷爱情磕磕绊绊又一天

初恋的承诺 月老的红线

而今不知拴在哪一边

身份角色来回变换是我情愿

到头来我也算终于明白

山外有山 天外有天

忙碌了一年真想回家看看……"

这是每个独自在外漂泊的人最最明白的感受，一边是自己无法承受的压力，一边是放不下的倔强。其实天下之大，不如意事十之八九，王宝强是要告诉那些漂泊的兄弟姐妹，不如释怀：过年了，应该回家看看，好好调整自己；过了年，又是一个新的开始，可以再次扬帆。

王宝强对家乡的眷念，又岂止在过年之时！没成名时，艰难的日子如同歌中所说的"没想通"时，他往往是有家归不得；成名后，在一般人看来，更要在事业上卖力打拼，让名气更大，让光环更为耀眼。但想通了的王宝强似乎不需要那么多光环了，父母什么时候想他了，他就会回到父母身边；老人们遇到困难了，他也会及时回到家乡帮忙解决。

"这段时间没写博客，你们都想我了吧？我在河北老家收秋呢，前几天天天都下地干活儿，在玉米地里掰玉米、锄地、刨花生、摘棉花。为了减轻父母的负担，家里的农活儿我照干，每天累得我晚上饭都不吃就睡，虽然很累，但是我觉得很有趣……"这是王宝强 2006 年的博客记录，此时他已经因为"傻根"出了大名，但回到家里他还是个"农民"。

乡亲们说："王宝强成明星了，明星谁下地啊，谁见过像他这样的明星。"王宝强却说："我从没把自己当明星，我有自知之明，我身上根本就没有那种'星光'。"是的，他就是这么低调。

一次，在拍戏之前，他正在接受记者采访。"咚咚咚"突然响起了一阵敲门声。王宝强一边向记者示意可能是找他的，一边跑过去开了门。"怎么搞的，你们怎么进来的？"一开门，酒店的两个客服人员就责问起来。

原来，因为剧组的房间里有其他人在商量拍片的事情，为了不影响别人，刚好旁边的一个房间空着，王宝强就把记者领了进去。"对不起，对不起！"他赶忙连声道歉，"这是从南京专程过来采访的记者，因为我的房间里现在有人在谈事情，看这个房间没有人，我们就进来了。"他用手指了指记者，接着说："等采访完了，我会下去结账的。"客服人员并没有认出王宝强，仍旧大声斥责他："下次不能这样了，这是违反规定的！"如同做错了事情的孩子，王宝强连连点头，并不声辩。

客服人员走了之后，王宝强平静地对记者说："咱们继续聊吧。"采访在被打断了十分钟之后，继续进行。

他不把自己当明星，而且好长时间，他都不认为自己是娱乐圈的人，更难得跟圈里人混在一起打牌、唱歌、吃饭。他的生活一直很简朴，不抽烟、不喝酒，只要不拍夜戏，每天晚上 12 点之前，他一定上床休息。"有人觉得这样的生活很无聊，我觉得很好。"在王宝强看来，有戏拍、能睡一个安稳觉，比起儿时，比起"北漂"时，就是天上地下了。

生活简单，没有过多的欲望，才能始终坚持真实的自己。

演戏与生活，都是本色

什么是真？演戏就是生活，按生活的原样演戏，这就是真。

有人说，有些演员是调色板，什么颜色都能调得出；有些演员只是一种颜色，而且无论何时何地何事，都不肯变成别的颜色。前一种演员可以把导演的意图发挥得淋漓尽致，把导演的设想执行得丝丝入扣；王宝强则是后者，就一种颜色——本色。调色板演员，让导演欣喜，让观众开眼；本色演员，让导演放心，一举手一投足，就是他自己，错也错不到哪里去。

王宝强保持自己的本真，不仅在演戏中，还在生活里。

一次他接受采访，当时并不太冷，他戴着一顶运动帽，穿着一件羽绒服，进了空调房也没有脱下这身"行头"。对于时尚，他表示不懂，只是觉得这样还蛮酷的。"以前，仿的我都买不起，别说真的了。这些都是公司帮助添置的。"他解释说，随即又很郑重地强调，"我在吃穿上是最不讲究的，但出来拍戏要有个样子。是不是？"事实上，采访期间，记者连续三天看到他都是穿戴着同样的"行头"。用他的话说："咱还没资本也没必要那么奢侈。衣服穿着舒服就行，没有必要老换。我的路还很长，我还是新人，走到这一步不容易，我会珍惜的。"

他上街几乎从来不戴墨镜，王宝强管它叫"眼镜"。他说："王宝强还是王宝强，就是知道我名字的人越来越多一些。很多人告诉我，当明星得先学会戴眼镜，可俺就是戴不惯那玩意儿，除非太阳刺眼，这时我戴也只不过是为了保护眼睛。演戏时剃了秃头，上街时倒是戴帽子，不让它太晃眼。"在他看来，"晃眼"是一种"炫耀"。

本真，就是保持最为谦恭的自我。

王宝强还有一首歌，《出门靠朋友》。这首歌记录了一个"草根"的友情。

"在家靠父母　出门靠朋友

风雨路上一起走　彼此分担忧和愁

在家靠父母　出门靠朋友

虽然不经常见面　也都牵挂在心头

在家靠父母　出门靠朋友

朋友就是那老酒　年头越久越上口

在家靠父母　出门靠朋友

不管天南和海北　你我都是好朋友"

这也是对"朋友"一词最简单、最真实的诠释。王宝强认为，他今天的所有成就，离不开昔日朋友的帮助，因此这首歌也是他对朋友们的一首致敬歌曲。

王宝强把身边的工作人员都当作朋友。他的经纪人说，有时候工作晚了，就到王宝强北京的家里。他亲自下厨，蒸馒头、煮面条，给大家做夜宵。

本真，就是以一颗真诚的心对待朋友和身边的人。

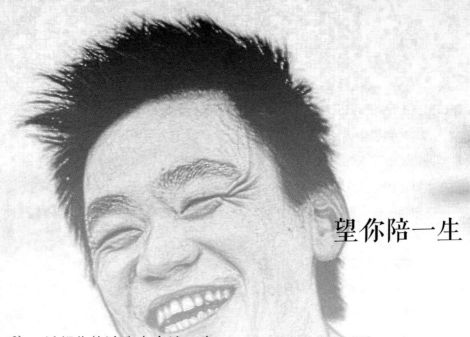

望你陪一生

 "希望你能陪我走完这一生"

王宝强也有"肉麻"的时候，这就是在与马蓉谈恋爱时。别人的肉麻多是吹嘘自己，或是低声下气地大献殷勤讨好恋人，而王宝强更像是"麻醉剂"，"麻醉"自己，也"麻醉"恋人。王宝强的"肉麻"话其实就一句："希望你能陪我走完这一生！"

恋爱中的人谁不喜欢这样的"肉麻"呢？"执子之手，白头偕老"，自古以来就是人们追求的婚姻境界啊！

王宝强的质朴实在表现在所有事情上，选择女友当然也不例外。他的标准是实实在在的。王宝强不止一次地说过，自己不会找一个圈中女友。马蓉出现在他面前时，是西北大学新闻专业的大三学生。王宝强也说，自己不会刻意去找一个特别漂亮的女孩子，马蓉也完全符合，她俊秀漂亮，但没够上"特别"。第三点王宝强没说，但应属大部分人的正常选择吧，就是年纪要相仿。别看王宝强演了这么多的戏，有那么多的人生经历，其实他与马蓉相识时才二十出头。马蓉比王宝强小了几个月，年纪相仿且正处花季。

条件只是外在的东西，脾气秉性相投才是根本。

早在他出演《我的兄弟叫顺溜》时，就有朋友跟他探讨感情问题。这是他演的第一部感情戏。王宝强曾一度表示，感情的事不着急。"我觉得自己现在状态挺好的，感情的事顺其自然吧，先把戏演好了再说。现在努力拍戏赚钱，一是给将来打基础，二是把父母养好。"

然而，感情说来就来了。马蓉在北京给王宝强做采访时两人第一次见面。那次相遇让他怦然心动，不久前说的"不着急"也就抛到了脑后。他们的性情太相近了：马蓉也不爱说话，不喜张扬。后来两人慢慢接触多了，王宝强善良、朴实、纯粹的性格总会像春水一样自然地漫上来，如春风无处不在地拂动着马蓉的心扉，马蓉似乎也不自觉地被包裹在了其中……

相恋两年后，正处于事业上升期的"宝宝"低调结婚了。"急于结婚"的想法依然质朴，他想到的是老家同龄的人都已结婚抱上了孩子，要是自己还"磨磨蹭蹭"的，父母会着急；二来马蓉的相貌、学历都比自己好太多，让王宝强没有太多的安全感，结婚了，别人也就抢不走了。马蓉骨子里也希望过上清静的日子，因此他们又义无反顾地选择了"隐婚"。

🎬 低调婚姻——没有钻戒，也没有婚宴和仪式

两人有了孩子以后，婚姻关系就暴露了。大音希声，大象无形，大隐隐于真，有一份真诚，静水流深，也就不会有什么喧哗。

2011年4月，王宝强被媒体爆出已经"隐婚"的消息。面对记者的连环逼问，王宝强承认，"很早就结婚了，这是我们家的传统观念，儿子也已有几岁了。"他说的传统观念是结婚的年龄不能太大。

谈起妻子，王宝强一脸幸福："我们是一见钟情，真的，遇见她，我真的有一种心跳的感觉，不敢正面看对方，但心里会默默地认定，她就是未来的另一半。"

两人真的非常默契，无论是恋爱时还是结婚后，马蓉从未在公开场合亮相，她甘愿做王宝强背后的女人。更难得的是，婚姻大事，他们低调得没有婚宴、没有仪式。"隐婚"还可以接受，可他们愣是连钻戒也没买。按说王宝强当时的收入也不太差啊！其实他们就是要"隐"得彻底一些。

马蓉先后为王宝强生了两个孩子。对于教子，王宝强说："我当爸爸也是很好的，儿子跟我最亲。他看到我出演的角色都能马上指着电视喊'爸爸'，那一刻的幸福和快乐，我真是说不出来。"

王宝强永远记着恋爱时的"肉麻"话，只对妻子马蓉好，结婚后，他从没有过任何绯闻。

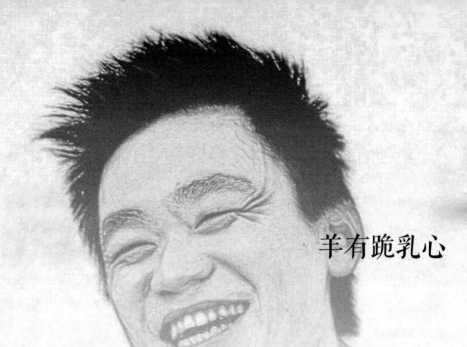

羊有跪乳心

乡下父母与城里媳妇

2008 年，王宝强与女友马蓉在北京结婚后，蜜月刚过，王宝强就与妻子商量："我八岁去少林寺学武，十多年来与父母团聚的时间加起来不到一年。爸妈一天天老去，我想把他们接到身边尽孝。"

还是在恋爱时，王宝强就常常和马蓉谈到他在家尽孝的日子少。丈夫的话音一落，马蓉就一口答应了。那天刚好是双休日，马蓉和王宝强一道赶赴河北老家接两位老人。

去北京开开眼界，其实也是父亲王银生和母亲刘焕多年的愿望，见儿子媳妇如此孝顺，两位老人便爽快地答应了。

到了北京，故宫、颐和园、长城……王宝强陪着父母转了一大圈。由于父母觉得累，也怕儿子花钱，加之王宝强片约不断特别忙，玩了几天后，两位老人就不再出门了。在老家忙活惯了的老两口，一旦停下来，便觉得特别不适应，有时太无聊了，就在阳台上数过往的汽车。

2009 年 4 月，王宝强从黑龙江拍完戏回到家，发现这一情况后，就跟马蓉沟通。马蓉顿觉愧疚，觉得不该如此"怠慢"老人。从此以后，作为北京电视台编导的马蓉，不论多忙，也尽量抽时间照料好公公婆婆。

也就是这年的 10 月，马蓉生下一个男婴。王银生夫妇喜得合不拢嘴，抱着孙子左看右看，就是不愿放手。怕累着父母，王宝强想请月嫂来家里照顾。这话刚一出口，父母就不高兴了："我们早就盼望着这一天，能享受天伦之乐了，你却要请人照料孩子，这不是嫌我们老了、不中用了吗？"

母亲动了气，开始收拾东西，说要回老家去。王宝强没想到一番好心会掀起轩然大波，立即收回自己的话。这下母亲脸上才又露出笑容，并炫耀般地活动活动手脚："你们看，我的手脚不是很灵便吗？你们放心，我和你爸爸一定能照顾好马蓉和孙子。再说，月嫂毕竟是外人，花钱多少不说，照顾起来不可能像我们一样贴心。"从此，老两口每天乐呵呵地为孙子洗澡、换尿片，一边忙碌，还一边哼着河北梆子。

两位老人毕竟在农村生活了一辈子，卫生习惯远远达不到马蓉的要求。孩子一出生，马蓉就一再叮嘱婆婆："妈，你冲牛奶时每次都得给奶嘴消毒。"婆婆嘴上虽然答应了，可她不是忙得忘记了，就是用自来水将奶嘴草草一冲了事。起初，马蓉一说，婆婆还顺从地答应着。但说的次数多了，"要求"也越来越严格，婆婆忍不住回敬起来："我三个孩子都是这么带大的，个个都健康，你哪儿来那么多规矩？"马蓉虽然不再说什么，可满心的不高兴，也就自觉不自觉地和婆婆"暗战"起来。

🎬 建"亲情园"，两代人的日子像把"大折扇"

一边是媳妇，一边是爸妈，王宝强夹在中间挺不好做人的。后来，王宝强想通了，每个人的个性都是在特定的环境中形成的，不是三天两天能解决得了的，孝敬老人也未必就一定要在一个锅里搅马勺。

2010年8月，王宝强和马蓉商量："我想给爸妈换个环境。相互之间不在一个屋檐下，有了适当的距离，也会处得更融洽。"没想到丈夫一直将自己与公公婆婆的关系放在心里，马蓉心中不觉暖融融的："其实也没什么，是我没有做好，多抽空陪老人出去转转，时间好打发了，也就没有那么多矛盾了。"王宝强说，"不要说这些，你也是太忙了。"

2011年春天，王宝强在北京东郊买了一套四合院，从家里开车到四合院只有半小时车程，来往非常方便。两位老人住到了郊区，这里院子好大啊，他们的手开始痒痒了。他们从老家拿来家什，在院子里种上了黄瓜、扁豆、西红柿等蔬菜，房前屋后还种了向日葵、香椿树。这下他们就好像又回到了南和县老家。王宝强每次拍戏回家，都会带着妻儿开车赶到父母住处，一边和父母一道给菜地浇水、施肥、搭架，一边和父母聊天，和父母的关系更亲近了，自己也享受了田园的乐趣。他们说："这个四合院，还有这个小菜园，就是我们家的亲情园。"

没多久，老人们和马蓉的矛盾慢慢淡化了。王宝强不在北京的时候，马蓉每天早上都把孩子送到公婆那里，晚上再接回去。每每有新鲜蔬菜收割时，婆婆也都会拾掇好了给儿媳："这是没有农药的蔬菜，吃了不会得病，你把这些分给你的同事吃吧！"

这年的10月，马蓉要赴山东出差，王宝强又在东北拍戏，儿子无人照看。马蓉马上拨通了公公婆婆的电话："妈，你和爸能不能来城里住几天，毕竟这边更方便些。""好！我们马上到！"两位老人将庄稼拾掇好，半个小时后，开车进了城。几天后，马蓉出差归来，只见家里收拾得一尘不染，儿子被拾掇得整整齐齐。

王宝强夫妇和两位老人就像一把大折扇，打开时各过各的日子，收拢时又是一个整体。一大家人都很享受这种"疏密聚散，亲情保鲜"的生活方式，关系愈发融洽。

促"逆生长"，数车的寂寞父母融入新环境

房前屋后小菜园的活动空间毕竟有限，有时也难免感觉枯燥乏味；再说，看到小区里的老人们各种别有意趣的活动，老两口也十分羡慕。

一次，小区一帮老太太在做操，这是一种韵律操，"嘣嚓嚓，嘣嚓嚓……"的节奏极为明快。刘焕一下子就被吸引住了，站在一边看了一会儿，心里想：这动作不太难！于是跟在后面扭腰摆胯地做了起来。看起来容易，做起来难，从没

跳过舞的她动作难免有些笨拙。老太太们一看，被逗得哈哈大笑。刘焕顿时红了脸，赶紧退了出来。有一位热心的老太太见状，要教教她。可刘焕只会说家乡话，那老太太听不懂，两人无法交流，只得作罢。这件事让刘焕觉得挺难为情的，从此也就不再出门了。

2011 年 10 月，王宝强随《Hello！树先生》剧组赴黑龙江拍外景，马蓉也有一项工作正忙着，不得不经常加班，也就顾不上两位老人了。刘焕和老伴更觉得日子难挨，再到阳台数汽车吧，数了几次，又觉得太没意思了！于是，他们回了老家。第二天，王宝强接到马蓉的电话，在得知父母回了大会塔村时，心中很不是滋味。

王宝强赶回老家，把父母接回北京。人虽说接来了，但他不知道如何让二老改变处境：由于语言不通，他们没法和别人交流，坐地铁也常常会坐错，所以没有儿子媳妇陪伴，两位老人从不出门。怎样才能让父母融入新的环境呢？王宝强纠结着，思考着。

2012 年 1 月，王宝强受邀到北京电视台录制一档访谈节目。和他一同录制的有著名的社会学家吴华胜。他觉得这是一个好机会，于是将心中的困惑说了出来。吴华胜对王宝强说："别说换了环境，就是生活在老地方，老人们也会有孤独感。不是说'老小孩'吗？人老了就像孩子，得让老人重新学习，掌握全新的生活技能，这样他们的心理和思维才能年轻化。用一句时髦的话来说，就是让老人'逆生长'。只有与时俱进，才能融入时代、融入新环境、融入新生活。"吴华胜的一番话，让王宝强一个劲地点头："有道理！"

当王宝强把吴华胜的话说给妻子听时，马蓉立即和他制定了让父母"逆生长"的计划。第一步是解决与人交流的问题，这件事马蓉当仁不让，因为她毕业于中国传媒大学播音系，说普通话是她的拿手戏，也知道如何教。她买来发音挂图，帮公公婆婆了解舌位、唇形、喉咙开合等发音要领……

在家里，一家人一律用普通话交流，还学

> **王宝强语录**
>
> 66 人生最美的事，就是终于向父母证明了，这个儿子没白养。 99

说绕口令。后来，马蓉又编了一个小话剧，一有时间一家人就在院子里排练。这个办法效果着实不错，没多长时间，剧本中的台词，两位老人全都能用普通话说了。

马蓉和王宝强还经常带着父母一起逛街。不单单让两位老人学会如何坐地铁，知道出门游玩的主要线路和景区，马蓉还让老人对着路牌，用普通话说出站名，学着用普通话问路。如此现场教学、实物教学，寓教于玩、寓教于乐，极大地调动了两位老人的学习热情，也让他们学习起来事半功倍。

半年后，刘焕和王银生就能说一口普通话了，虽说是含有浓浓大会塔村口音的普通话，但只要说得慢，别人也基本能听得懂。

和人交流的障碍初步消除了。马蓉说：公公婆婆的"初级班"已经结业了，就让他们进入"中高级班"吧！2012年7月，马蓉夫妇将父母送往丰台区一所老年大学。刘焕在家乡时就爱唱几句，于是报了合唱班；有时王银生兴致来了，老伴唱歌时，他也会拉京胡伴奏。为了继续发扬"妇唱夫随"的精神，王银生则报了器乐班，以提高拉京胡的水平。

马蓉和王宝强之所以舍近求远，选择了丰台区的这所老年大学，是因为这所学校招收的多是农村进城的老人。进这样的学校，一是大家水平相当，不会有自卑感；二是大家有相同的经历和共同语言，交流起来会更顺畅。由于大家来自于天南海北的农村，必须说普通话才能沟通，在这种氛围中，进步也就相对会快一些。只过了一个学期，刘焕和王银生的普通话就比较标准了，而且其他方面也有了提升，精神面貌大有改观。

当"领导者"，父母组建腰鼓队，敲出幸福满怀

在两位老人初步掌握新的生活技能后，下一步就是让他们"返老还童"，像年轻人一样生活。经过一番考虑后，在父母"逆生长"的过程中，王宝强要以自己的专业特长，替代妻子做主角。

2013年6月1日，儿子的幼儿园举办"六一演出活动"，邀请王宝强和马蓉

观看。王宝强想了想，决定让父母去。看到花朵一样的孩子在台上唱歌跳舞，王银生和刘焕仿佛回到了童年。特别是看到孙子在台上载歌载舞、神气十足时，老两口高兴得合不拢嘴，一忘情，也跟着手舞足蹈起来。

看完演出回到家，他们还不忘和儿子儿媳说孩子们表演得如何好、如何可爱，孙子是如何棒。王宝强让爸妈去看演出，就是要让他们感受一下孩子们的天真和童趣，让他们平添一份"活泼浪漫"的生活乐趣。这时，他趁着老两口的勃勃兴致，说："爸妈，你们也想演出吗？"母亲说："想演也没有人要咱啊！"王宝强说："不仅有人要，还能上电影。"母亲说："是真的吗？""儿子还会骗您吗？""敢情好，母亲可要风光一回了！"

刘焕和王银生这次真的要风光了。两天后，王宝强用汽车拉回了四十只腰鼓，对父母说："儿子当一次领导，为剧组负责一处景点的拍摄。今天我把这领导的职责转交给爸妈，你们负责组织一个腰鼓队，9月份我带剧组来小区取景拍摄。"

老两口高高兴兴地接下了儿子布置的任务，立即开始行动。"我们一定当好这领导，出色完成任务，为小区争光，为儿子争光！"老两口信心满满，挨家挨户地敲开邻居的门，他们要为邻居、为自己敲出欢乐和满足。

王宝强请来剧组导演对腰鼓队进行指导。刘焕还买来影碟，有空就和王银生观摩学习，现学现卖，再去指导队员们。由于刘焕夫妇的领导当得认真负责，处处能以身示范，队员们的热情非常高，对每一个动作都精益求精。

9月，是丰收的时节。24日，收了一辈子庄稼的刘焕夫妇获得一次特殊的大丰收。这天上午，王宝强带着剧组来小区拍摄。"咚咚、咚咚、咚、咚……"随着刘焕敲打出号令鼓点，排成方阵的队员们一齐挥动手中的鼓槌，敲击起别在自己腰上的鼓，动作是那样整齐划一，四十个人就像一个人一般。随着动律的变化，队员们的脚步开始踢踏跳跃，"起势""马步跳跃""对望"……鼓手们把所有动作完成得干净利落。老人们一个神采奕奕、精神饱满，现场的表演气氛激昂、舞姿健美！腰鼓队的表演受到剧组和王宝强的高度赞扬，导演也说："大爷大妈的表演为电影增色不少，要为大家记上一功！"

拍摄结束，王宝强犒赏腰鼓队员，聚餐时，他给大爷大妈们敬酒："大爷，大妈，感谢你们对我工作的支持！社区就是一个大家庭，以后有什么集体活动，请别忘了告诉我爸妈。"最后，他给父母敬酒，"爸妈，以前儿子一直担心你们在北京生活不舒心，现在我放心了。"老两口也笑了，满脸都是幸福与满足。

2008 年 12 月，王宝强的单曲《势不可挡》推出。这首歌的词曲充满了浓郁的武侠色彩。没有了小人物的期期艾艾，充满了龙啸九天、英雄出世的豪迈！

"天地任我去闯

豪气势不可挡

男儿真性情 要自强

远走四方

笑看世间变幻

铸我一条好汉

真英雄出现便势不可挡……"

歌词虽朴实，却不乏豪迈，让人听了热血沸腾，就像王宝强的性子一样，有着"要自强"的真性情。

不错，王宝强这首歌道出一个有所成就之人，其道路的艰辛与崎岖。其实，也道出了他自己天生敢打敢拼的男儿本色。

当然，王宝强也时刻准备着迎接攀越人生巅峰那更为艰辛的旅程……

王宝强 一滴水中有雪的过去和未来

参考资料

[1] 陈坤. 突然就走到了西藏. 华东师范大学出版社，2012.

[2] 陈坤蓦然懂您了：父亲也是可怜的人. http://www.zhiyin.cn/tegao/2009/0311/article_627.html.

[3] 黄晓明的故事·男人向往的角色. http://blog.sina.com.cn/s/blog_483e4bcb0100hdh6.html.

[4] 车祸以后又害眼疾 黄晓明坦言车祸使他成熟. http://yule.sohu.com/2003/11/16/62/article215646232.shtml.

[5] 梦想只要坚持就一定能成功——李云迪. http://www.iamlead.net/ns_263.html.

[6] 李静. 做自己. 台海出版社, 2012.

[7] 花样美男韩庚的励志故事. http://www.xiaogushi.com/diy/renwu/34275.htm.

[8] 超人气偶像韩庚艰苦辛酸的出道之路. http://blog.sina.com.cn/s/blog_51d78f460100cz7r.html.

[9] 李宇春：从不只是超级偶像. http://www.21fd.cn/a/toupiao/yulejieqingnianlingxiuhouxuanren/2010/1130/15589.html.

[10] 李宇春与玉米的故事. http://blog.sina.com.cn/s/blog_4b57731c010009ar.html

[11] 王宝强的艰苦成名之路. http://blog.sina.com.cn/s/blog_4e4fb0e50100fb75.html.

[12] 王宝强："半小时车程"养老模式. http://www.360doc.cn/article/806010_233249294.html.